CAM ARALL I'R GORFFENNOL

Cam Arall i'r Gorffennol:

*Safleoedd archaeolegol
yng ngogledd-ddwyrain Cymru*

Rhys Mwyn

Argraffiad cyntaf: 2016

ⓗ Rhys Mwyn/Gwasg Carreg Gwalch

Rhif rhyngwladol: 978-1-84527-4??????

Mae'r cyhoeddwr yn cydnabod cefnogaeth ariannol
Cyngor Llyfrau Cymru

Cynllun clawr: Elgan Griffiths
Darlun clawr:

Cyhoeddwyd gan Wasg Carreg Gwalch,
12 Iard yr Orsaf, Llanrwst, Conwy, LL26 0EH.
Ffôn: 01492 642031 Ffacs: 01492 641502
e-bost: llyfrau@carreg-gwalch.com
lle ar y we: www.carreg-gwalch.com

Argraffwyd a chyhoeddwyd yng Nghymru.

Cyflwynaf y llyfr hwn
er cof am y diweddar Emyr Price.
Heb ei anogaeth o i gyfrannu colofnau
i'r *Faner*, ni fyddwn yn awdur
a cholofnydd heddiw.

Noson gyda'r hanesydd, a rhannu
rhinwedd archaeolegydd,
cloddio a chrwydro'r broydd
er cael y trysorau cudd
                    Cymerau.

Cam i'r Gorffennol

gan Rhys Mwyn

'Mae archaeoleg yn aml yn codi mwy o gwestiynau nag y mae'n eu hateb, ac mae Rhys Mwyn yn mwynhau trafod y gwahanol ddamcaniaethau am y safleoedd ... Mae'n rhoi digon o wybodaeth, ond dim gormod chwaith, gan drafod gwahanol dechnegau a mathau o archaeoleg, ac mae'n amlwg iddo ailgydio yn y pwnc â brwdfrydedd heintus.'

Cerian Arianrhod, Gwales

Sganiwch y cod hwn, neu ewch i'r linc isod:
www.carreg-gwalch.com/llwybraurhysmwyn2
er mwyn lawrlwytho'r tudalennau taith i'ch teclyn clyfar neu'ch cyfrifiadur.

Cynnwys

Fi a Meirion Ginsberg yng Ngherrig yr Helfa, Haf 2016

Cefndir llun y clawr

Penderfynodd Rhys ddefnyddio rhes gerrig Cerrig yr Helfa ger Llangadfan, Powys, yn ysbrydoliaeth i'r clawr, gan ei fod yn lle cymharol ddirgel, a does fawr ddim gwybodaeth am y safle. Roedd hyn yn wych i mi fel artist, a phenderfynais adael i'm dychymyg yrru'r llun. Fy mwriad oedd ceisio cymryd mantais o awyrgylch y safle yn hytrach na chreu darlun perffaith gywir o'r cerrig.

Ar ôl treulio diwrnod hefo Rhys yn ymweld â'r safle, a thrafod yn helaeth hefo fo, es ati i greu llun y clawr hefo'r bwriad o greu delwedd liwgar.

Dwi'n gobeithio fy mod wedi creu llun clawr trawiadol sy'n dal ysbryd y safle hyfryd yma.

Meirion Ginsberg, Tachwedd 2016

Rhagymadrodd: Pwy ydan ni ... Ble ydan ni?

In Wales, there are no 'natives': we are all incomers, and it is only the degree that differs.

Dr Eurwyn Wiliam, *Discovered in Time* (Redknap, 2011).

Canolbwyntio ar ogledd-ddwyrain a chanolbarth Cymru fydd y gyfrol hon, ardal y Gororau neu'r Mers – ardal y ffin. Awgrymodd Dafydd Elis-Thomas mai'r 'Mers' yw'r term cywir yn hytrach na'r 'Gororau' gan fod y Mers yn cyfeirio at y rhan o Gymru fu dan reolaeth y Normaniaid a'u disgynyddion.

Yn dilyn cyhoeddi *Cam i'r Gorffennol* (2014) cefais ymateb cadarnhaol gan nifer o'r darllenwyr, yn datgan eu bod wedi mwynhau dilyn y llwybrau a mynd am dro yn ogystal â darllen hanes y safleoedd. Felly yn y gyfrol hon byddaf yn ymdrechu i gadw at y patrwm yma, os nad datblygu ac ehangu'r elfen o 'fynd am dro' a darganfod y pethau a'r llefydd bach diddorol ar hyd y daith.

Byddaf yn awgrymu pethau o ddiddordeb fydd yn pontio cyfnodau ond yn cysylltu yn ddaearyddol; wrth ddilyn y penodau bydd cyfeiriad at henebyn neu leoliad arall yma ac acw, gan ganiatáu i'r darllenydd lunio taith neu ddiwrnod allan yn y gobaith o ychwanegu at y pleser o grwydro a darganfod.

Wrth drafod beth yw archaeoleg yn fy ngyfrol gyntaf fe awgrymais mai archaeoleg yw astudiaeth o hanes dyn drwy gloddio a thrwy astudio olion materol dyn, sef y pethau hynny rydym wedi eu gadael ar ein holau ar y dirwedd, boed yn olion adeiladau neu yn wrthrychau. Ond, mae cwestiwn arall yn deillio o'r broses ddiffinio yma – sef beth yw pwrpas hyn oll; beth yw'r diben a sut mae hynny'n berthnasol i ni fel Cymry Cymraeg?

Ateb y byddaf yn ei gynnig i'r cwestiwn tra byddaf allan ar lawr gwlad yn darlitho neu yn cynnal dosbarthiadau yw bod archaeoleg yn ein galluogi i ddeall yn well – deall pwy ydan ni a ble rydan ni. Gellir dadlau bod deall yr archaeoleg yn well yn ein galluogi i fod yn well dinasyddion, i barchu lle, i barchu tirwedd hanesyddol a chysylltu â'n treftadaeth, a hynny mewn modd hwyliog, diddorol.

Wrth gyfeirio atom fel 'Cymry Cymraeg' rwyf yn derbyn bod y cyfrolau hyn yn cael eu hanelu at siaradwyr Cymraeg. O astudio gwefan *Archwilio* (Cofnod Amgylchedd Hanesyddol Ymddiriedolaethau Archaeolegol Cymreig – mae'n werth cael golwg arni) neu bori dros gyhoeddiadau'r Comisiwn Brenhinol, mae rhan helaeth o'r wybodaeth am yr henebion yma ar gael yn ddigon hawdd yn yr iaith fain. Yr hyn efallai y gallaf ei gynnig o'r newydd yw safbwynt mwy Cymreig, a chyflwyno'r wybodaeth a'r ymchwil o fewn un gyfrol.

O safbwynt y Gymraeg, rhaid bachu ar y cyfle i awgrymu fod unrhyw ymdrech i ddeall y dirwedd hanesyddol ac archaeolegol yng Nghymru heb fedru'r iaith yn anorfod yn arwain at olwg gul ar y dirwedd honno. Dwi'n dychmygu'r sefyllfa fel hyn: mae'r di-Gymraeg yn eistedd yn yr ystafell ffrynt yn gwylio teledu du a gwyn, a'r siaradwyr Cymraeg yn cael gwylio teledu lliw HD. Cymhariaeth ddigon teg – sut fedrwch chi werthfawrogi Cymru yn gyflawn heb yr iaith? Dyma her i'r holl archaeolegwyr di-Gymraeg hynny yng Nghymru: os yw Cymru mor bwysig â hynny, sut nad oes gwell ymdrech ymhlith y proffesiwn i ddysgu'r iaith?

Yn Gymraeg mae'i morio hi, yn Gymraeg y mae rhegi.
Meirion Macintyre Huws

Yn y gyfrol hon, gobeithiaf ymhelaethu ar y safbwynt Cymreig – yn sicr bydd sylw yma i'r cestyll Cymreig, sef y cestyll hynny a adeiladwyd gan y twysogion Cymreig (tywysogion Gwynedd a Phowys) yn ogystal â safleoedd diweddarach Glyndŵr. Dyma gestyll sydd wedi eu hanwybyddu – dyna i chi air dadleuol, yntê? Dywed rhai cenedlaetholwyr fod Edward I a'i gestyll yn Harlech, Conwy, Caernarfon a Biwmares wedi hawlio'r sylw i gyd, gan greu cyfle i roi y bai ar 'rywun arall', yn hytrach na holi pam i ni fod mor ddifater a di-hid am hanes Cymru dros y blynyddoedd.

Gan fod cestyll Edward I yn Eryri yn Safleoedd Treftadaeth y Byd, ac yn denu cannoedd o filoedd o ymwelwyr bob blwyddyn (dros 170,00 yn achos Caernarfon), efallai'n wir fod 'yr holl sylw' arnynt – ond chawn ni byth gwynion am y sylw (neu'r diffyg sylw) a roddir i gestyll Edward I yn y Fflint, Llanfair ym Muallt neu Aberystwyth. Go brin fod mwyafrif teithwyr yr A470 hyd yn oed yn sylwi ar y domen gastell yn Llanfair ym Muallt. Gellir dadlau fod y diffyg sylw i gastell Llanfair ym Muallt felly yn enghraifft bellach o gastell yn cael ei 'anwybyddu', ond nid am y rheswm arferol, sef ei fod yn gastell Cymreig, ond bod llai yno i'w weld neu lai yno i fodloni'r ymwelydd cyffredin. Felly, mae 'na gestyll Seisnig (a Normanaidd) yn dioddef o ddiffyg sylw hefyd!

Rhaid derbyn bod cestyll Edward I yr un mor berthnasol i hanes Cymru â'r cestyll Cymreig; maen nhw'n rhan allweddol o hanes, a rhaid wrth olwg wrthrychol a chynhwysfawr o'r hanes hwnnw os am ddeall y cyd-destun llawn. Fedrwch chi ddim dewis a dethol pa rannau o hanes i'w hadrodd heb ailsgwennu hanes fel y gwnaeth y Sais: 'History is written by the victors' meddai Walter Benjamin. Ond, fe allwn arbenigo mewn rhai meysydd, fe allwn ganolbwyntio ar agweddau gwahanol ac fe allwn ddechrau perchnogi, neu ailberchnogi, y cestyll Cymreig.

Rhaid wrth ddealltwriaeth o Lywelyn Fawr a'r Brenin John – a rhaid wrth reswm wybod am Siwan os am ymdrin â Chymru ar ddechrau'r 13eg ganrif, ac yn yr un modd does dim posib trafod Llywelyn ap Gruffudd heb feddu ar wybodaeth am Harri III ac Edward I a chanlyniad pellgyrhaeddol Rhagfyr 1282 i ni fel cenedl.

Rwyf yn hollol argyhoeddedig fod rhaid i ni fel Cymry Cymraeg ailberchnogi pethau – boed yn siambr gladdu, yn faen hir neu yn gestyll Llywelyn ab Iorwerth. Ond yr wyf yr un mor argyhoeddedig nad yw cwyno am Edward I neu feio gwahanol gyrff cyhoeddus neu'r gyfundrefn addysg yn gwneud fawr mwy na hel esgusion. Dyna'r wers bob amser – ewch am dro. Ewch i Ewlo i ddarganfod castell Llywelyn ap Gruffudd – does dim i'ch rhwystro!

Awgrymodd yr awdur Emyr Glyn Williams yn ei gyfrol *Is-Deitla'n Unig* (2015) fod diffyg dyhead ymhlith Cymry Cymraeg, neu'r gynulleidfa Gymraeg, o ran yr awydd i greu a gwylio ffilmi-au Cymraeg. Cyfeiriodd hefyd at ddiffyg mentergarwch S4C yn y maes o greu diwylliant sinema Cymraeg. Rydw i'n cytuno. Rhaid cael 'popeth yn Gymraeg' – dyna oedd mantra'r ymgyrchwyr iaith yn ystod y 1960au, ac mae'r mantra hwnnw'r un mor berthnasol heddiw.

Awgryma Dyfed Elis-Gruffydd yn rhagymadrodd ei gyfrol *100 o Olygfeydd Hynod Cymru* (2014):

> Ond rhaid i mi gyfaddef, serch hynny, fy mod i'n mawr obeithio y daw darllenwyr y llyfr, heb sôn am gynhyrchwyr rhaglenni S4C, yn llawer mwy ymwybodol o bwysigrwydd y prosesau daearegol sydd wedi rhoi bod i bryd a gwedd y Gymru sydd ohoni.

Eto, rwy'n cytuno â geiriau a sentiment Dyfed. Wrth i mi sgwennu'r gyfrol hon yn ystod 2015–2016, penderfynodd S4C beidio â chomisiynu ail gyfres o'r rhaglen archaeoleg *Olion – Palu am Hanes*, felly pwy a ŵyr faint o sylw a gaiff archaeoleg ar y sianel yn y blynyddoedd nesaf. Os parha'r drefn yma, sef bod meysydd cyfan (ffilm, daeareg, archaeoleg) yn cael eu hanwybyddu drwy gyfrwng y Gymraeg, bydd haneswyr y dyfodol yn siŵr o ofyn, fel y gwnaeth Huw Jones yn ei gân 'Sut Fedrwch Chi Anghofio', 'ble aethom ni o'i le?'

Yn y cyfamser, does dim dewis ond dal i sgwennu, dal i greu, dal i genhadu: dyma pwy ydan ni a dyma lle ydan ni.

Rhys Mwyn
Tachwedd 2016

Nodyn: Yn y gyfrol hon eto, defnyddiaf y talfyriadau CPAT (Clwyd Powys Archaeological Trust) a GAT (Gwynedd Archaeological Trust) am Ymddiriedolaethau Archaeolegol Clwyd Powys a Gwynedd, gan mai'r talfyriadau hyn sy'n cael eu defnyddio ganddynt wrth gyhoeddi eu hadroddiadau, eu cyhoeddiadau ac yn y blaen.

Pennod 1

Rhes Gerrig Mynydd Dyfnant (Cerrig yr Helfa), Llangadfan

Cyfnod: Oes Efydd

Does dim cymaint â hynny o olion Neolithig amlwg (4000–2000 cyn Crist) i'w gweld yn Nyffryn Banw heddiw, ond dengys cofnodion safle *Archwilio* fod gwrthrychau o'r cyfnod wedi cael eu darganfod yn y dyffryn. Daethpwyd o hyd i ddarnau callestr wedi eu gweithio ar Fferm Llynfyrniog, Llangadfan, er enghraifft, ac mae bwyell a ganfuwyd yn y Foel yn dyddio o'r cyfnod Neolithig hwyr ac wedi ei gwneud o garreg Bryn Cordon (Bwyelli Grwp XII), Swydd Amwythig. Felly, roedd dyn yn yr ardal yn y cyfnod Neolithig (cyfnod dechrau amaethu), ond perthyn i'r cyfnod wedyn, yr Oes Efydd (2000 –700 cyn Crist), mae'r safleodd dan sylw yn y bennod hon.

Yn ei ragymadrodd i lyfr Gutyn Padarn, *Parochial Histories of Llangadfan, Garthbeibio and Llanerfyl, Montgomeryshire* (1895), mae'r Parchedig Elias Owen, ficar Llanyblodwel ger Croesoswallt, yn cyfeirio at olion archaeolegol y darn yma o Faldwyn, pen gorllewinol pellaf y sir ac ardal tarddiad afon Banw:

> The many remains of Neolithic days show that in ancient times the hills were inhabited by primitive man, who were, it may be, succeeded by Celts.

Disgrifir Gutyn Padarn (Griffith Edwards 1812–1893) yn hynafiaethydd a bardd, a bu'n rheithor ym mhlwyf Llangadfan o 1865 hyd at ei farwolaeth. Ei gymwynas fawr â'r byd archaeolegol oedd cyhoeddi ei gyfrol yn 1895, cyfrol sydd, hyd heddiw, yn cynnig cyfuniad diddorol (a rhwystredig ar adegau) o oleuni ac ambell ddirgelwch ynglŷn â henebion Dyffryn Banw. Er ei gwendidau, mae hon yn gyfrol amhrisiadwy i'r ymchwilydd hanes.

Doedd Elias Owen na Gutyn, wrth sgwennu ar ddiwedd y bedwaredd ganrif ar bymtheg, ddim mor ymwybodol o'r gwahanol gyfnodau archaeolegol ag yr ydym ni heddiw, ond roedd Elias yn gywir pan ddywedodd fod y 'Celtiad' wedi byw yn y dyffryn. Bu'r Rhufeiniaid hefyd yn yr ardal yma ddwy fil o flynyddoedd yn ôl – mae tystiolaeth o hynny yn safleoedd caeran Hafan, Llanerfyl (Cyfeirnod Map OS SJ 043108), sydd ond i'w weld bellach o awyrluniau, a chaeran Llanfair Caereinion ar y Gibett (Cyfeirnod Map SJ 106044) sydd ar dir preifat.

Y garreg fwyaf yng Ngherrig yr Helfa

Mae ail ran disgrifiad Elias Owen, wrth iddo gyfeirio at y plwyfi yma fel *'remote parts'*, yn gwneud i mi wenu. Mae Elis Owen yn ymhelaethu fel hyn:

> As is often the case in mountainous Welsh parishes, traditions of giants, which probably have reached our days from remote antiquity, are still extant in these uplands, and huge boulder stones are pointed out, as having been hurled by these gigantic men of old ...

Cyfeirio at feini hirion a charneddau claddu yn y plwyf y mae o yma, y rhan fwyaf wedi hen ddiflannu erbyn hyn drwy brosesau amaethu.

Hyd y gwyddom ni, does dim traddodiad yn ymwneud â chewri yn gysylltiedig â'r rhes gerrig Oes Efydd yng nghoedwig Dyfnant, ond gwelir defnydd o ddau enw gwahanol ar y cerrig mewn hen lyfrau ac ysgrifau: Cerrig yr Helfa a Cherrig Bryn Bras. Does dim cyfeiriad at y rhes gerrig o gwbl yng nghofnodion Gutyn Padarn: efallai fod y cerrig yn llai amlwg, rywsut, ar ddiwedd y 19eg ganrif, neu yn rhy anghysbell – pwy a ŵyr?

Saif y rhes gerrig ar lethr graddol uwchben Dyffryn Dyfnant i gyfeiriad y de-ddwyrain, rhyw dair milltir i'r gogledd o bentref y Foel. Tybir bod 6 charreg yn y rhes yn debygol o fod yn wreiddiol; y mwyaf yn sefyll i uchder o 1.4 medr a rhai o'r meini lleiaf ond yn 0.5 medr o daldra, er ei bod yn bosibl bod llawer mwy o gerrig yn rhan o'r rhes wreiddiol. Mae llecyn clir o amgylch y cerrig, ond gan eu bod yn ddwfn yng nghoedwig Dyfnant does fawr o olygfa oddi yno heddiw a dweud y gwir – dim ond rhyw awgrym o'r bryniau ar y gorwel y tu hwnt i'r goedwig wrth edrych i gyfeiriad y dwyrain.

Petawn yn awgrymu dyddiad oddeutu 2000–1500 cyn Crist ar gyfer y rhes gerrig, byddai hynny'n golygu fod amaethyddiaeth wedi bodoli ers dechrau'r cyfnod Neolithig, o gwmpas 4000 –3500 cyn Crist, ac o ganlyniad byddai darnau o goedwigoedd wedi eu clirio a thir wedi ei amaethu. Anodd iawn, heb wneud arolwg paill yn yr ardal benodol yma, fyddai dyfalu sut y defnyddiwyd y tir o amgylch y rhes gerrig.

Perthyn i'r Oes Efydd felly mae'r rhes gerrig, rhywbryd yn ystod yr ail fileniwm cyn Crist, a diddorol iawn yw'r drafodaeth am union bwrpas y rhes. Wrth gwrs, nid yw'r rhes hon yn unigryw – ym Mhrydain nac yn Ewrop.

Gwelir rhai o'r enghreifftiau mwyaf trawiadol o resi cerrig ar Ynysoedd Prydain ym Merrivale ar Dartmoor (Cyfeirnod Map OS: maes parcio SX 553750), lle ceir tair rhes o gerrig yn ymestyn ar hyd y rhostir gyda meini hirion, cylchoedd cerrig a charneddau claddu hefyd yn rhan o'r dirwedd 'ddefodol' yma. Un cwestiwn amlwg sy'n codi yw natur y berthynas rhwng y rhesi cerrig a'r carneddau claddu a'r meini hirion. Ym Mhennod 2 rwyf yn crybwyll rhes gerrig Hafod y Dre ger Pentrefoelas (Cyfeirnod Map OS: SH 885 537) fel un sydd yn debygol iawn o fod a chysylltiad â charnedd gladdu ar un pen i'r rhes, ac mae amheuaeth hefyd gyda Cherrig yr Helfa: oedd yma gladdfa gysylltiedig?

The Plaque Market yw'r enw lleol ar res gerrig Merrivale, ond cyfeirio at yr arferiad o alltudio'r rhai hynny oedd yn dioddef o'r Pla Du i'r gweunydd cyfagos yn ystod yr 17eg ganrif mae'r enw, pan arferai pobl ddod â bwyd iddynt at y rhes gerrig. Mae llyfr Julian Cope, *The Modern Antiquarian*, yn cyfeirio at hyn, a hwn, yn fy marn i, yw'r cyfeirlyfr gorau ar gyfer ymwelydd sydd am astudio o'r newydd ac ymweld â rhai o henebion megalithig mwyaf amlwg a thrawiadol Ynysoedd Prydain am y tro cyntaf.

Golwg ar hyd y rhes gerrig

Heblaw Côr y Cewri, Avebury a Calanish, mae henebion megalithig Ynysoedd Prydain yn ymddangos yn bitw a di-nod iawn o'u cymharu â rhesi cerrig anferthol Carnac yn Llydaw. Nid maint yw popeth, wrth reswm, a rhaid datgan yn glir fod rhes gerrig Cerrig yr Helfa yr un mor bwysig, diddorol a thrawiadol yn ei ffordd ei hun (ac yn sicr mae'n agosach at fy nghalon i) nag unrhyw un o'r safleoedd amlwg, mawr.

Bydd ymwelwyr yng Ngharnac yn rhyfeddu at y cannoedd o gerrig enfawr mewn rhesi fel petaent yn llifo dros y dirwedd. Yng Ngharnac ei hyn ceir gwahanol grwpiau o gerrig, sef yr *Alignments du Ménec, Alignments du Kermario* a'r *Alignments du Kerlescan* tua'r dwyrain. Bydd y rhan fwyaf o'r ymwelwyr yn ymhel o amgylch yr *Alignments du Ménec* a'r ganolfan groeso, ac oddi yma ceir teithiau tywys yn y Saesneg o leiaf unwaith yr wythnos. O grwydro ymhellach o ganol pentref Carnac i gyfeiriad yr *Alignments du Kerlescan,* credwch neu beidio, mae modd cael llonydd i fwynhau'r meini heb y torfeydd, felly mae'n talu i baratoi potel o ddŵr, ychydig o frechdanau, sach teithio a

Y garreg sydd wedi ei hailgodi

phâr o esgidiau cerdded go dda, a mynd am dro i grwydro.

Yn ôl yma yng Nghymru, un o'r rhesi cerrig mwyaf trawiadol yw'r cerrig ger Craig y Nos sy'n cael eu hadnabod fel y Saith Maen, am y rheswm amlwg fod saith maen yn perthyn i'r rhes gerrig (Cyfeirnod Map: OS Landranger 160, SN 833154)

Ond i ddychwelyd at Ddyffryn Banw, Cerrig yr Helfa yw'r enw a ddefnyddir gan amlaf ar res gerrig Mynydd Dyfnant. Mae cyrraedd y cerrig yn dipyn o waith, yn bennaf oherwydd y goedwig sydd wedi tyfu ar draws y llwybr troed mewn un darn, ond mae'n werth dyfalbarhau a chewch chi mo'ch siomi pan gyrhaeddwch y safle. Rwyf wedi ymdrechu i gynnwys cyfarwyddiadau clir ar sut i gyrraedd y rhes gerrig ar ddiwedd y bennod.

Yma gwelwn chwe charreg y credir eu bod yn wreiddiol mewn llinell, ac mae amheuaeth bod y seithfed wedi ei chodi (neu ei hailgodi) rywbryd yn ystod yr 20fed ganrif, gan fod adroddiad yn dyddio o 1910 yn crybwyll bod y seithfed maen yn gorwedd yn y mawndir. Ym marn Burnham (1995), mae pum carreg y gellid eu hystyried yn gorwedd mewn rhes gywir heddiw. Mae'r rhes ei hun yn rhedeg o'r de-orllewin tuag at y gogledd-ddwyrain, a'r cerrig mwyaf deheuol yw'r rhai ar 'linell' Burnham.

Awgryma rhai fel McCormack (2006), sy'n dyfynnu'n helaeth o waith Ymddiriedolaeth Archaeolegol Clwyd Powys (CPAT), fod hyd at 10 carreg i'w gweld yma, neu yn gysylltiedig â'r rhes gerrig, ond mae amheuaeth faint o'r cerrig presennol sydd yn rhai gwreiddiol. Yn ystod fy ymweliad ym mis Mai 2016, roedd yn bosibl gweld 10 carreg ar y safle a allai fod yn rhan o'r rhes wreiddiol (neu hyd yn oed yn hanner cylch o gerrig) er bod rhai yn isel iawn ac yn anodd eu gweld.

Oherwydd bod yr holl ardal bellach yn rhan o Goedwig Dyfnant, mae'n bosibl bod rhai o'r cerrig wedi cael eu symud/disodli/ailgodi drwy'r broses goedwigaeth ar un adeg. Byddai hyn yn sicr yn cynnig un esboniad pam mae lleoliad neu safle rhai o'r cerrig wedi newid dros y blynyddoedd.

Mae carreg arall rhyw fedr i'r gorllewin y byddai'n bosibl iddi fod yn rhan o'r rhes – neu, yn fwy tebygol efallai, fod wedi ffurfio ochr cist o gerrig ar gyfer claddu unigolyn. Does neb yn sicr o hyn, ond mae'r garreg yma, sy'n gorwedd ar ei gwastad, yn debyg i ochr cist gladdu – ac mi wyddom fod rhesi cerrig a charneddau neu gistiau claddu yn gallu bod yn gysylltiedig â'i gilydd yn y cyfnod yma, felly ni ddylid diystyru'r posibilrwydd.

Roedd yn arferiad yn ystod yr Oes Efydd i gladdu unigolion mewn cistiau cerrig, lle ffurfiwyd ochrau, gwaelod a chaead y gist gan feini gweddol llyfn neu wastad. Ar y cyfan, meini naturiol oedd y rhain, a does fawr o awgrym fod cerrig wedi eu llunio'n bwrpasol i'w defnyddio fel hyn, ond yn hytrach bod dyn wedi chwilio am gerrig addas. Mae digonedd o gerrig addas i'w cael yn ucheldiroedd Cymru.

Yn ôl Burnham (1995) mae cofnod yn bodoli fod 7 carreg yma yn 1910, a oedd yn cynnwys un a oedd wedi suddo i'r mawndir – a'r ffaith hon sydd wedi gwneud i archaeolegwyr amau fod y garreg olaf ond un i'r gogledd wedi ei hailgodi ers hynny. Yr 'amheuaeth' sydd yn codi o safbwynt archaeolegol hefo'r garreg hon yw fod llai o gen wedi tyfu arni na'r lleill, sy'n awgrymu efallai iddi gael ei chodi yn ddiweddarach. Y maen yma sydd hefyd agosaf i'r garreg ar ei hochr – sef ochr y gistfaen bosibl.

Dyma ddywed adroddiad Ymddiriedolaeth Archaeolegol Clwyd Powys (CPAT) ar wefan *Archwilio*:

> At least nine stones visible during CPAT site visit in 1988 which suggests that someone is re-erecting them. Impending forestry work (thinning and felling) will affect the site in 1988.
>
> Accidental damage to the stone row during forestry work led to a survey of the stones in 1992 by CPAT. Ten stones were identified forming three groups which may be the result of modern interference. The position of stones 7 and 8 suggest they were raised in recent times but prior to 1977. Stone 2 which is completely free of lichen was added somewhat later: it was first recorded in 1988. It may however be in the position of one of the original stones. The offset stone (1) to the north west may have originally been part of a stone circle or cairn at or near the northern terminal of the row. Stone 2 may have originally formed part of a cist to the south of stone 1. (Gibson, A M 1992).

Fel y gwelwch o ddarllen yr uchod, mae peth cymhlethdod ynglŷn â pha gerrig sy'n rhan o'r rhes wreiddiol, pa rai sydd wedi eu hailgodi rywbryd yn ystod yr 20fed ganrif a pha rai sydd wedi eu disodli neu eu symud yn ystod y gwaith coedwigaeth. Rhaid cofio fod y tir dan draed yn weddol fawnog, felly mae'n ddigon posib fod cerrig wedi bod o dan y mawn yn y gorffennol, ac nad oedden nhw mor amlwg, neu o'r golwg, pan ysgrifennwyd adroddiad 1910.

Y gwir amdani yw ei bod yn anodd dweud, ond tydi hyn ddim yn amharu ar naws y safle o gwbwl gan na fydd y mwyafrif o ymwelwyr yn poeni'n ormodol, nac yn sylwi.

A dweud y gwir, o edrych tua'r de gallai rhywun gamgymryd y 'rhes gerrig' am 'hanner-cylch cerrig' hyd yn oed. Fy awgrym, felly, yw nad oes diben mynd i ormod o fanylder. Mentrwch am dro, a mwynhewch y safle fel y mae.

Carreg Moel y Tryfel
Cyfnod: Oes Efydd/ Cyfnod Diweddar

Mae'r garreg hon i'w gweld rhyw 10 medr i'r de-orllewin o'r giât i'r goedwig (Coedwig Dyfnant), ac ar y chwith i'r llwybr troed sy'n arwain o amgylch Bryn Perfedd. Mesura'r garreg oddeutu 150cm x 125cm ac mae twll crwn canolog ynddi, oddeutu 10cm o ddyfnder ac yn mesur 18 x 13cm ar draws.

Carreg Moel y Tryfel

Bydd rhywun yn cerdded heibio Carreg Moel y Tryfel wrth gerdded i gyfeiriad res gerrig Cerrig yr Helfa.

Yn ystod un o fy ymweliadau â Cherrig yr Helfa, cyfeiriodd Annie Ellis o ffermdy Pen y Coed at y garreg hon fel y 'maen bedydd' – mae'n debyg bod defnydd o'r enw yma ar lafar gan bobl leol wrth gyfeirio at Garreg Moel y Tryfel. Rwyf wedi sgwrsio â sawl un lleol sy'n gyfarwydd â'r enw 'maen bedydd', ond does neb i'w weld yn gwybod beth yw tarddiad yr enw nac yn gwybod a fu unrhyw fedyddio yno erioed.

Yr hyn sydd yn weddol amlwg wrth graffu oddi tani yw bod y garreg (gyda'r twll canolog) yn gorwedd ar ben o leiaf tair carreg sylfaen, a'r awgrym felly yw bod rhywun wedi gosod y cerrig sylfaen yma er mwyn cael y garreg, neu'r maen bedydd, yn wastad. Mae'n annhebygol iawn bod gogwydd y garreg a'r twll yn y canol yn gyd-ddigwyddiad naturiol – mae'n anodd bod yn gwbl sicr, ond mae popeth yn awgrymu fod dyn wedi bod yn rhannol gyfrifol am leoliad y cerrig yma – ond i ba bwrpas, tybed?

Yn ôl gwefan *Archwilio*, hon yw'r garreg a elwir yn 'Moel y

Sylfaen o dan Garreg Moel y Tryfel

Tryfel Stone' gan Ymddiriedolaeth Archaeolegol Clwyd Powys (CPAT). Er bod awgrym fod cerfiad cafn nodyn (*cupmark*) ar y garreg, awgrymwyd hefyd gan CPAT yn 1988, mai nodwedd naturiol yw hyn mewn gwirionedd. Cafn-nodau yw nodweddion bach crwn sydd wedi eu naddu drwy gnocio'r garreg â cherrig eraill – maent i'w gweld ar feini hirion yr Oes Efydd, beddrodau Neolithig neu greigiau naturiol. Y term Saesneg am naddu o'r fath yw *pecking*, sef y broses o ddefnyddio cerrig i gnocio twll bach crwn ar feini neu graig. Ceir cafn-nodau ar nifer o greigiau naturiol o amgylch siambr gladdu Bryn Celli Ddu ym Môn, ceir 110 ohonynt ar gapfaen siambr gladdu Bachwen ger Clynnog Fawr a daethpwyd o hyd i rai ar un o feini hirion Tryleg yn Sir Fynwy.

Does dim esboniad pendant am bwrpas y cafn-nodau, ac i wneud pethau yn fwy cymhleth ceir hwy ar henebion yn dyddio o'r cyfnod Neolithig hwyr ac o'r Oes Efydd. Gall hyn awgrymu bod yr arferiad o greu cafn-nodau yn pontio'r ddau gyfnod, ond gan eu bod yn ymddangos ar feini hirion, siambrau claddu a chreigiau naturiol, anodd iawn yw ffurfio unrhyw ddamcaniaeth gyson ynghylch pwrpas neu arwyddocâd yr arferiad penodol

22

Cafn nodau ar feini Harold, Tryleg

yma. Rydym hefyd yn cyfeirio at gafn-nodau fel 'celf ar gerrig' neu *rock art* yn y Saesneg.

Dyma adroddiad Carreg Moel y Tryfel gan CPAT ar *Archwilio*:

> Site Type (preferred type first): Bronze Age Standing stone / Bronze Age Cup marked stone.
> Description: Possible cup-marked stone. Boulder 1.6m wide by 0.6m high. Cup shaped hole 0.15m diam 0.1m deep chipped in flat top. Adjacent to old track over Mynydd Dyfnant.
> Condition not known (Thomas D, 1997)
> Description as above. Cup mark is almost certainly a solution hole, too large and deep for a cup mark (CPAT 1998).

Rwyf wedi dangos lluniau i Dave Chapman o gwmni archaeoleg arbrofol Ancient Arts a'r archaeolegydd Frances Lynch, ond yn amlwg, heb iddynt weld y garreg go iawn, anodd oedd i'r ddau ffurfio barn. Er bod cafn-nodyn yn un posibiliad, mae ymyl y twll braidd yn fras a dydi'r cafn nodyn neu'r 'bowlen' ddim yn llyfn iawn. Cytunaf â barn Frances o safbwynt maint y twll: os yw'r twll yn gafn-nodyn mae'n un anarferol o fawr.

Fel arfer, mae cafn-nodau yn weddol llyfn gan eu bod wedi cael eu cnocio gan gerrig i greu y siap crwn, a tydi'r twll yma ddim yn teimlo nac yn edrych fel cafn-nodyn arferol i mi. Yr hyn sydd yn od yw bod y twll yma yng nghanol y maen – sy'n gwneud i rywun feddwl mai ôl dyn sydd yma yn hytrach na nodwedd naturiol – ond efallai na chawn fyth brofi hyn yn bendant.

Dyma ddywedodd Frances Lynch am y llun a yrrais iddi:

Your first photo gives the impression of sharpness and I would think that, whatever it was, it is relatively modern – any traditions of Ana Baptists in the area, though early Non Conformists rather prefer total immersion don't they? I agree is it not a typical cup mark, but I don't think it is a solution hole – it looks hacked out. My guess would be 17th century AD.

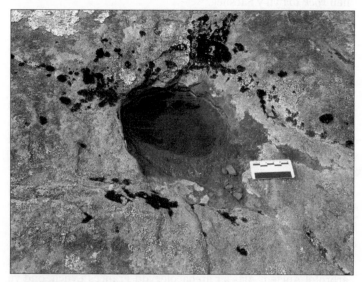

Llun manylach o'r twll yng nghanol Carreg Moel y Tryfel

Efallai mai Frances sydd ar y trywydd cywir, a bod y twll yn y maen yn perthyn i gyfnod anghydffurfiaeth gynnar neu'r Crynwyr – os felly, o ble a pham y daeth y traddodiad lleol bod hwn yn faen bedydd?

Bu cymuned o Grynwyr yn ardal Cwm Cownwy, Llanwddyn, a gwyddom iddynt gael eu claddu mewn mynwent fechan ger ffermdy Caeau Bychain (Bryn Cownwy) yn nhreflan Garthbwlch. Mae beddau yno yn dyddio o'r 17eg ac 18fed ganrif, ond yn wahanol iawn i safleoedd eraill sydd â chysylltiad â'r Crynwyr, fel Dolobran ger Pontrobert, does fawr o gofnodion na llythyrau wedi goroesi yma. Felly, does dim modd gwneud unrhyw gysylltiad go iawn rhwng Crynwyr Llanwddyn a Charreg Moel y Tryfel.

Yn sicr, nid yw Cwm Cownwy yn bell o Foel y Tryfel wrth groesi dros Fynydd Dyfnant, ond petai angen i bobl groesi o Lanwddyn am Langadfan neu Garthbeibio bryd hynny, byddai dilyn y ffordd drwy Bont Llogel yn cynnig ffordd haws iddynt na chroesi dros y mynydd. Oni bai bod llwybr rhwydd dros Fynydd Dyfnant yn ystod yr 17/18fed ganrif oedd yn pasio heibio Moel y Tryfel, mae hi'n anodd, rhywsut, gwneud cysylltiad uniongyrchol rhwng Crynwyr Cwm Cownwy a'r garreg hon.

Os yw'r twll yn y garreg yn nodwedd naturiol (hyd yn oed petai'r garreg wedi ei gosod yn wastad gan ddyn) sut felly mae esbonio hyn yn ddaearegol? Cefais sgwrs â'r daearegydd Dyfed Elis-Gruffydd a drafododd wahanol bosibiliadau, ond awgrymiadau yn unig yw'r rhain gan na chafodd Dyfed ychwaith gyfle i ymweld â'r garreg.

Yn ôl Dyfed, efallai fod prosesau naturiol posibl fyddai'n egluro twll o'r fath. Heb wybod yn union beth yw litholeg y maen, un posibilrwydd yw bod y garreg wedi ei ffurfio o dywodfaen a bod rhai haenau o amryfaen (*conglomerate*) a cherrig llaid ymhlith yr haenau, a bod haenau fel hyn wedi dod yn rhydd o'r maen gan adael twll. Rhywbeth arall i'w ystyried yw bod y twll yn bant hydoddiant (*solution hollow*), ond er mwyn cadarnhau hynny byddai angen i'r maen fod yn un sy'n deillio o graig megis tywodfaen galchaidd neu galchfaen. Opsiwn arall yw y gall y garreg fod yn faen dyfod (*erratic*) wedi ei gadael ar ôl gan y broses rewlifol. Y gwir amdani, heb i ddaearegydd profiadol ymweld â'r safle, alla i ddim taflu mwy o oleuni ar y mater yn y gyfrol yma – felly mae mwy o waith i'w wneud yma (gan rywun).

Carreg Llanfaglan
Cyfeirnod Map OS: SH 461 608
Sylwch: mae'r garreg hon ar dir preifat. Does dim mynediad cyhoeddus.

Yn ddiweddar daeth carreg arall i'm sylw drwy garedigrwydd Ifor Williams, Llanfaglan. Eto, carreg a thwll crwn yn ei chanol ydyw, ac eto yn cael ei hadnabod yn lleol yn faen bedydd. Ceir y garreg hon ar graig mewn coedlan fechan rhyw 10 medr i'r dwyrain o hen safle Ffynnon Baglan (SH 460 608) sydd bellach wedi ei dinistrio yn llwyr.

Yn sicr, mae carreg Llanfaglan (yn Arfon) yn wahanol iawn i Garreg Moel y Tryfel (ym Maldwyn) – mae'r ddwy garreg mewn ardaloedd gwahanol ac mewn cyd-destun gwahanol iawn ond bod y traddodiad llafar yn eu cysylltu. Yn Llanfaglan, cawn fowlder naturiol yn mesur oddeutu 120 x 150cm yn gorwedd ar ben craig naturiol gyda thwll neu bowlen gron ynddi – gyda'r awgrym lleiaf o fod yn hirgron. Mesura'r bowlen oddeutu 30cm ar ei thraws a rhyw 3–4cm o ddyfnder. Mae'r bowlen yn llyfn iawn, sy'n awgrymu ei bod wedi gwisgo.

Dydi'r twll yng ngharreg Llanfaglan ddim yn edrych fel cafn-nodyn – yn wir, mae'n debycach i fowlen freuan, *mortar*, oedd yn rhywbeth cymharol gyffredin yn Oes yr Haearn ar gyfer paratoi bwydydd.

Carreg Llanfaglan
(trwy garedigrwydd Ifor Williams)

Carreg Llanfaglan (trwy garedigrwydd Ifor Williams)

Ond does dim anneddiad amlwg Oes yr Haearn yn y cyffiniau, sy'n peri i rywun chwilio am gysylltiad ac esboniad arall.

Ceir cerrig tebyg yn Iwerddon o'r enw *bullauns*, o'r Wyddeleg *bullán* am bowlen, sy'n dyddio o'r Canol Oesoedd ac yn gysylltiedig â safleoedd crefyddol megis eglwysi, mynachdai, ffynhonnau a llwybrau pererinion. Ymhlith yr amryw ddamcaniaethau mae awgrymiadau bod powlenni o'r fath wedi cael eu defnyddio i falu mwyn haearn, neu ar gyfer defnydd amaethyddol.

Mae 44 carreg *bullaun* i'w gweld yn Glendalough yn Iwerddon, a'r awgrym yno yw bod y cerrig yn gysylltiedig mewn rhyw ffordd â phererindod Sant Kevin. Roedd powlenni o'r fath yn amlwg yn gallu casglu dŵr glaw – mae hyn i'w weld heddiw yn Llanfaglan – felly, awgrym arall yw bod dŵr o'r bowlen wedi cael ei ddefnyddio ar gyfer ymolchiad crefyddol neu buredigaeth.

Yng nghyd-destun Llanfaglan gwyddom fod Ffynnon Baglan (SH 460 608) wedi ei lleoli ryw 10 medr i'r gorllewin o'r garreg yma cyn iddi cael ei dinistrio, a saif hen eglwys Llanfaglan rhyw chwarter milltir i'r gorllewin (SH 455 607). O ystyried hyn, cwestiwn amlwg mae'n rhaid ei ofyn yn Llanfaglan yw ai rhyw fath o fedyddfaen neu fowlen buredigaeth yw hon sy'n gysylltiedig â Sant Baglan – gan gofio bod y safle ar lwybr y pererinion am Enlli?

O fewn eglwys Llanfaglan mae carreg fedd o'r 5ed/6ed ganrif yn perthyn i Anatemorus, mab Lovernius, sy'n cadarnhau bod Eglwys Sant Baglan yn un â'i hanes yn mynd yn ôl i Oes y Seintiau. Byddai awgrymu bod carreg Llanfaglan yn enghraifft Gymreig o *bullaun* yn awgrymu cysylltiad crefyddol a diwylliannol rhwng Cymru ac Iwerddon yn y Canol Oesoedd cynnar – rhywbeth na fedrwn ei brofi. Beth petai offeiriad neu sant o Wyddel wedi bod yma yn Llanfaglan, ac wedi cyflwyno'r arfer o ddefnyddio *bullaun* i'r ardal?

Y gwahaniaeth mawr rhwng cerrig Moel y Tryfel a Llanfaglan yw'r cyd-destun. Mae carreg Moel y Tryfel ar ochr y mynydd ac yn bell o unrhyw eglwys, tra mae carreg Llanfaglan ger y ffynnon a'r eglwys hynafol ac felly yn rhan o dirwedd grefyddol Gristnogol. Yr ail wahaniaeth sylfaenol rhwng y ddwy garreg yw'r tyllau – heb os, mae'r bowlen yn Llanfaglan wedi ei naddu ac yn llyfn a'r twll ym Moel y Tryfel yn llawer mwy amrwd. Yn fy marn i, rydym yn edrych ar nodweddion gwahanol iawn yma, ond bod y traddodiad o faen bedydd rhywsut wedi datblygu yng nghyd-destun y ddau faen.

Cist-faen Nant Brân

Wrth ddilyn trywydd meini hirion a chistfeini ardal Garthbeibio a Llangadfan deuthum ar draws stori bod hen gistfaen ger fferm Nant Brân, Llangadfan wedi ei chwalu a'r cerrig wedi eu defnyddio yn ddiweddarach i greu porth ar gyfer y Swyddfa Bost yn Llangadfan. I ddyfynnu o ysgrifau Gutyn Padarn o 1895:

An important carn, near a place called Nant Brân, was destroyed about thirty or forty years ago, and the stones removed to make a wall. In the middle of it a stone chest was found, having four sides, a bottom, and a lid, of large rude stones, which were dressed and put up as entrance pillars in front of the present post-office at Llangadfan.

Wrth gyfeirio at 'carn' y tebygrwydd yw bod Padarn yn cyfeirio at gist gladdu o'r Oes Efydd. Bu farw Gutyn Padarn ym mis Ionawr 1893, felly cafodd y gist gladdu ei chwalu (os yw'r stori'n wir) rywbryd yng nghanol y 19eg ganrif, oddeutu'r 1850au, efallai? Roedd yn weddol arferol yn ystod y ganrif honno i bobl dyllu i mewn i hen gladdfeydd fel hyn gan obeithio am drysor neu aur. Mae yna ddigon o hanesion o'r fath – ond eto, pwy a ŵyr faint o sail sydd i'r straeon yma? Byddai Gutyn wedi bod yn ei dridegau o gwmpas adeg chwalu'r gladdfa, felly byddai wedi deall yn union beth oedd yn digwydd – ond ai ail-law oedd y stori a glywodd? Yn ôl y sôn, chafwyd dim olion dynol na chrochenwaith yng nghist gladdu Nant Brân: 'There was no urn, nor were any remains found in the chest at the time, but it was supposed that it had been previously entered and its contents removed,' meddai Padarn.

Ar un adeg, a than yn gymharol ddiweddar, bu Swyddfa Bost Llangadfan yn safle caffi Cwpan Pinc heddiw, ond bu i mi ddarganfod fod y Swyddfa Bost yng nghyfnod Gutyn ar safle Tŷ Coch, ar ben gorllewinol y teras ar ymyl yr A458. Mae llun o 1886 o gasgliad John Thomas yn cadarnhau hyn. Yn llun John Thomas gallwn weld y ddau bostyn giât carreg sy'n dal i sefyll yno heddiw, ond does dim golwg o'r porth a ffurfiwyd o gerrig y gist gladdu.

Mae'r ddwy arlunwraig adnabyddus, Eleri a Christine Mills, cyfnitherod sydd yn

Un o'r cerrig o flaen Tŷ Coch

29

Swyddfa Bost Llangadfan oddeutu 1940
(trwy garedigrwydd Eleri Mills)

hanu o deulu postfeistri y Mills yn Llangadfan, wedi bod o
gymorth amhrisiadwy wrth i mi geisio dehongli ysgrifau Gutyn
a gwahanol luniau sy'n bodoli o Swyddfa Bost Llangadfan.
Cadarnhaodd Christine, er enghraifft, fod cynifer o geir a lorïau
wedi taro i mewn i'r pyst giatiau dros y blynyddoedd ar ymyl
ffordd brysur Dolgellau i'r Trallwng, nes bod rhai wedi eu malu
ac o ganlyniad yn llai o faint nag y maent yn llun John Thomas.
Mae cerrig pyst eraill wedi eu chwalu wrth atgyweirio'r tai, ac
eraill yn gorwedd yn y mieri ar ochr arall y ffordd.

Mewn llun o'r 1940au roedd y Swyddfa Bost lle mae
Minffordd heddiw (drws nesa i Cwpan Pinc), felly bu Swyddfa'r
Post yn Llangadfan mewn tri adeilad gwahanol. Rydym yn
weddol sicr mai Tŷ Coch oedd y Swyddfa Bost yng nghyfnod
Gutyn a bod Minffordd fel llythyrdy mewn defnydd yn ystod yr
20fed ganrif.

Cefais y llun o'r swyddfa bost ym Minffordd drwy
garedigrwydd Eleri Mills, a gwelir yn glir ynddo gerrig neu bren
porth y fynedfa, a cherrig pyst y giât a'r ffens. Y gŵr yn y llun yw

Richard Mills, y postfeistr, hen ewythr i Eleri a Christine. Does dim golwg o'r pileri porth erbyn heddiw nac ychwaith y pyst giât o flaen Minffordd. Mae'r pyst giât wedi goroesi o flaen Tŷ Coch, ac mae un ar ôl o flaen Tŷ Canol. Ar nodyn tra gwahanol, gwelir hefyd yn y llun bod blwch ffôn o gynllun K6 Giles Gilbert Scott o flaen Swyddfa'r Post.

Yn sicr, tydi colofnau'r porth o flaen Minffordd yn y 1940au ddim yn gerrig fyddai wedi dod o gist gladdu – maen nhw lawer yn rhy fawr a llyfn – felly credaf ei bod yn weddol annhebygol bod unrhyw gysylltiad rhyngddynt a stori Gutyn am weddillion y gist gladdu o Nant Brân.

Mae'r pyst giatiau o flaen Tŷ Coch yn edrych yn debycach i'r math o gerrig fyddai rhywun yn eu disgwyl mewn cist gladdu, ac o'r cerrig i gyd yr un ar y llawr ger drws Tŷ Coch yw'r un mwyaf tebygol ar yr olwg gyntaf. Ond gan fod cynifer o byst giatiau o'r un math wedi bod yma, gan gynnwys dau ar yr ochr arall i'r ffordd ger y fynedfa i'r ardd, mae rhywun yn dechrau amau eu tarddiad, ac a fu yr un ohonynt yn agos i gist gladdu erioed.

Er mor dda yw stori Gutyn Padarn, fy nheimlad i ar ôl ymweld â'r cerrig pyst yma sawl gwaith yw ei bod yn edrych yn fwyfwy annhebygol fod yr holl gerrig wedi dod o gist-faen Nant Brân, a does dim tystiolaeth yn llun John Thomas o'r porth bondigrybwyll o flaen Tŷ Coch.

Ond y cwestiwn go iawn, wrth gwrs, yw a oes unrhyw sail i stori Gutyn Padarn, ac ai'r cerrig o'r gladdfa yw'r rhain sydd i'w gweld hyd heddiw o flaen Tŷ Coch? Cwestiwn da!

Darn o gist Nant Brân tu allan i Tŷ Coch

Rhes Gerrig Mynydd Dyfnant (Cerrig yr Helfa), Llangadfan

Hyd y daith: hyd at ¾ awr o gerdded o ffermdy Pen y Coed at y rhes gerrig ar lwybrau mynydd a ffordd goedwig.
Map yr Ardal: OS Landranger 125
Cyfeirnod Map OS: Cerrig yr Helfa SH 985157
Maen Moel y Tryfel SH 979151
Man Cychwyn: Fferm Pen y Coed SH 978144
Parcio: Drwy ganiatâd Pen y Coed
Graddfa: Cymedrol/darnau anodd. Bydd angen esgidiau cerdded.

Wrth gyrraedd pentref y Foel ar yr A458 (rhwng y Trallwng a Mallwyd) bydd angen troi am Gwm Twrch mwy neu lai gyferbyn â hen siop y pentref. Dilynwch y ffordd gul yma gydag afon Twrch ar y chwith. Ar ôl 1.2 milltir ewch heibio'r blwch ffôn ac ychydig cyn cyrraedd pont fechan dros afon Twrch cadwch i'r dde a dilyn y ffordd i fyny'r allt. Byddwch yn mynd drwy fuarth a heibio bwthyn bach gwyn ar eich llaw chwith cyn cyrraedd fferm Pen y Coed ar y dde. Tua 2.3 milltir yw hi o'r gyffordd yn y Foel i Ben y Coed.

O ffermdy Pen y Coed dilynwch y llwybr troed heibio adeiladau'r fferm gan anelu at y mynydd a'r goedwig (Mynydd Dyfnant). Dilynwch y llwybr gan gadw i ochr chwith y bryn bychan sydd o'ch blaen (Bryn Perfedd) ac anelu at y giât i'r goedwig (Cyfeirnod Map OS 980152).

Bydd Moel y Tryfel ar eich llaw chwith tua 15 medr cyn cyrraedd y giât i'r goedwig a bydd ffrwd fechan ger y llwybr troed am y goedwig. Gwelir ychydig o eithin o amgylch y maen.

Fe welwch y giât o'ch blaen – dychmygwch linell syth o'r fferm i'r giât ond gan gadw at ochr chwith Bryn Perfedd er mwyn cyrraedd y giât. Mae oddeutu 100 llath anodd iawn wedyn cyn cyrraedd un o ffyrdd y goedwig. Er bod llwybr yma, does dim gwaith cynnal a chadw wedi'i wneud arno, ac o ganlyniad mae mieri ac eithin yn cuddio darnau o'r llwybr. Does fawr o ddewis ond mentro yn eich blaen nes ichi gyrraedd y ffordd. Mae'r llwybr yn

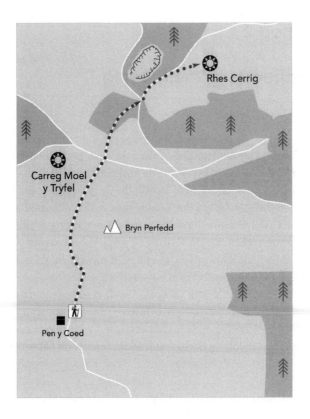

amlwg gan fod y coed y ddwy ochr i'r llwybr, ond does fawr o'r llwybr troed ar ôl bellach.

Bydd y daith yn haws yn nhymor y gaeaf pan fydd llai o dyfiant, ond gydag ychydig o ddyfalbarhad mae modd croesi'r darn yma o'r llwybr. Rhaid dringo wedyn i fyny'r ochr at y ffordd goedwig.

Pan gyrhaeddwch ffordd y goedwig croeswch y ffordd, a dilyn y ffordd yn syth yn eich blaen am tua ½ milltir. Ewch yn syth ymlaen yn y groesffordd nesa (Arwyddbost 62). Ar ôl mynd heibio chwarel ar y chwith fe ddowch at ddarn clir yn y goedwig ar ochr dde'r ffordd mewn tua 100 llath. Mae'r rhes gerrig yma – dilynwch y llwybr troed ati.

Pennod 2

Cylchoedd a Rhesi Cerrig

Cyfnod: Oes Efydd

Yn y bennod gyntaf rhoddais sylw i un rhes gerrig benodol, sef Cerrig yr Helfa ger Llangadfan, ac ymhelaethu ar y drafodaeth i gynnwys ambell stori neu benbleth yn yr ardal honno am darddiad rhai cerrig hynafol. Ond fy mwriad yn y bennod hon yw tynnu'ch sylw at ambell gylch cerrig neu resi cerrig eraill o'r un cyfnod yng nghanolbarth Cymru a'r gogledd-ddwyrain. Gyda'r Map OS yn gyd-deithiwr, siawns na fydd modd i chi ddarllenwyr fynd am dro a darganfod rhai o'r cerrig yma.

Mae sawl cylch cerrig yn ardal Uwch Hafren (sef ardal afon Hafren sydd fwy neu lai yn cyfateb i Sir Drefaldwyn) ac ar ddiwedd y cofnod ar gyfer cylch cerrig y Capel (isod) ar wefan *Archwilio*, ceir dolen gyswllt i'r adroddiad canlynol: Gibson, A,M., 1998, 'Prehistoric & Funerary Ritual Sites: Upper Severn Valley', *CPAT Report No. 277*. Dyma adroddiad cynhwysfawr o holl safleoedd defodol a chladdu, fel y'u gelwir, o'r cyfnodau Neolithig a'r Oes Efydd ym Maldwyn, a byddwn yn awgrymu fod unrhyw un sydd â diddordeb yn y cyd-destun ehangach a mapiau o'r gwahanol safleoedd yn darllen yr adroddiad hwn.

Cylch Cerrig y Capel, Cefn Coch

Dyma i chi gylch cerrig bach hynod iawn, yn mesur rhyw 22m ar draws, ym mherfeddion yr ucheldir rhwng Llanfair Caereinion a Charno, yn ardal Cefn Coch. Rhaid wrth fap OS a llygaid craff i ddod o hyd iddynt gan fod y cerrig yn sefyll/gorwedd mor isel, a tydyn nhw ddim yn amlwg o gwbl o bell, ond awgrymaf na fydd yr anturiaethwr archaeolegol yn cael ei siomi gan fod y daith yn werth yr ymdrech.

Cylch Cerrig y Capel yw'r enw a roddir ar y cylch cerrig yn lleol, a saif y cylch ar ysgwydd o dir ychydig i'r gorllewin o Esgair

Cylch Cerrig y Capel, Cefn Coch

Cwmowen, rhwng dwy o'r isafonydd bychain sy'n bwydo afon Rhiw. Yn ystod arolwg o'r safle yn 1977 awgrymwyd bod 54 o gerrig yn rhan o'r cylch, ond mewn arolwg diweddarach yn 1980 dim ond 38 roedd posibl eu gweld. Gan ein bod mewn tir mynyddig, gall fod rhai o'r cerrig wedi eu cuddio o dan y mawn.

Er nad yw'r cerrig yn sefyll fawr mwy nag ychydig gentimedrau uwchlaw'r ddaear (dydi'r fwyaf ond 0.4 medr o uchder) cawn flas o'r cyn-hanesyddol yma. Cawn hefyd lonyddwch fyddai yn amhosibl i'w brofi bellach yng nghylchoedd Avebury neu Gôr y Cewri. Dydi llai o ran maint ddim yn golygu llai o fwynhad wrth ymweld â safle fel hwn! Dyma safle i ddianc iddo o sŵn y byd, i ymgolli a dychmygu: beth oedd y defodau oedd yn cael eu cynnal yma yn ôl yn yr Oes Efydd, yn yr ail fileniwm cyn Crist?

Mae'r rhan fwyaf o'r cylchoedd cerrig yn ardal Uwch Hafren yn rhai bychain fel rhain ac yn tueddu i fod wedi eu lleoli yn yr ucheldir. Yn achos Cylch Cerrig y Capel mae'r lleoliad bron wrth darddiad afon Rhiw, bron ym mhen uchaf y dyffryn. Ceir damcaniaeth fod cylchoedd fel hyn yn aml yn rhan o dirwedd ddefodol ehangach, sef tirwedd oedd yn arfer cael ei defnyddio ar gyfer defodau neu seremonïau o ryw fath, a bod carneddau claddu neu resi cerrig yn rhan o'r un dirwedd. Anodd, wrth reswm, yw profi hyn heb allu dyddio safleoedd cyfagos er mwyn profi eu bod yn cael eu defnyddio yn ystod yr un cyfnod, ond mae

Y garreg fwyaf yn y cylch

sawl safle arall o'r Oes Efydd o fewn tafliad carreg i Gylch Cerrig y Capel. Mae carnedd gladdu, er enghraifft, ar Esgair Cwmowen (SJ 001 000), gweddillion hanner cylch cerrig posibl eto ar Esgair Cwmowen (SO 000 998) a darganfuwyd bwyell palstaf, sef bwyell a rhigol ynddi er mwyn ei dal mewn ffon bren, ychydig i'r dwyrain o'r cylch cerrig. Mae mwy fyth o olion a all fod yn garneddau claddu yr Oes Efydd i'r de-orllewin ger Carneddau.

Awgrym arall yw bod safleoedd o'r fath yn agos i lwybrau drwy'r ucheldir neu'r mynyddoedd, neu wedi eu lleoli ar y ffin rhwng tiroedd gwahanol lwythau, ac efallai ar gyrion lle'r oedd pobl yn byw. Heb os, mae angen llawer mwy o waith archaeolegol a gwaith dyddio radiocarbon cyn y gallwn ehangu ar y damcaniaethau hyn a'u cadarnhau.

Awgrym yr archaeolegydd Aubrey Burl, awdur *The Stone Circles of the British Isles* (1976), yw bod y cylchoedd cerrig llai yn rhai diweddarach na'r cylchoedd mawrion yn Avebury a Chôr y Cewri, ac efallai felly fod yr arferiad yma o godi cylchoedd cerrig yng Nghefn Coch neu Ceri (isod) yn perthyn i draddodiad mwy lleol o godi cofadeiladau yn hwyrach yn ystod yr ail fileniwm.

Cylch Cerrig Ceri (Kerry Hill)

Cawn y cylch cerrig yma, sydd yn cynnwys 9 o feini bychain ac yn mesur rhyw 24m ar ei draws, mewn cae (porfa) amaethyddol ychydig i'r gogledd-ddwyrain o Nant Rhyd y Fedw ac ychydig i'r

Cylch Cerrig Ceri

de-orllewin o foncyn Kerry Pole. Y ffordd drwy Nant Rhyd y Fedw yw'r B4368 rhwng Ceri ac Anchor, ac er mwyn cyrraedd y cerrig rhaid parcio yn y maes parcio ar gyfer Lôn Las Ceri ar ben y bryn.

Cylch oddeutu 24–25 medr ar draws sydd yma, yn cynnwys wyth o gerrig isel, fawr mwy na 0.5 medr o uchder, yn ffurfio'r cylch, ac un garreg wedyn (y nawfed) yn gorwedd ar ei hochr yng nghanol y cylch. Dydi gweld maen yng nghanol cylch cerrig ddim mor gyffredin â hynny, felly, y cwestiwn amlwg yw a yw'r garreg hon yn perthyn i'r cylch cerrig gwreiddiol neu yn un a gafodd ei chodi yn ddiweddarach. Amhosibl yw cadarnhau y naill ffordd neu'r llall heb arolwg archaeolegol pellach.

Mae'r cae lle saif y cylch wedi ei bori yn amaethyddol yn ddiweddar, felly mae'n ddigon hawdd gweld y cerrig fel mae rhywun yn cyrraedd y safle. Mae'n bosibl bod gwaith aredig dros gyfnod o flynyddoedd wedi gadael y cylch cerrig yn sefyll ar lwyfan neu godiad o dir o ganlyniad i'r symud pridd. Fel arall, o ran maint ar draws y cylch ac o ran lleoliad, mae'n gylch digon tebyg i Gylch Cerrig y Capel, Cefn Coch (uchod) ond bod llawer llai o feini yn rhan o Gylch Ceri.

Yn ôl y sôn, yr enw lleol ar y safle yw Druid Circle. Mae hyn yn codi'r cwestiwn, felly, ers pryd mae'r enw yma'n cael ei arfer yn lleol. Wrth drafod y safle mae Dr Alex Gibson (CPAT) wedi mynd mor bell â damcaniaethu a yw'n gylch cerrig cyn-hanesyddol go iawn. Yn ôl Cadw mae cylch cerrig arall gwta 1.7 milltir i'r deorllewin; un a godwyd gan Deithwyr yr Oes Newydd (y New Age Travellers) rywbryd ar ôl 1983. Bu'r teithwyr hyn yn aros yn yr ardal yn y 1980au ac mae'n ddigon posibl eu bod wedi codi cerrig neu gylchoedd cerrig – ond does dim i awgrymu eu bod wedi codi cerrig ar y safle hwn yn benodol ar fryniau Ceri.

Gwelwn hefyd fod posibilrwydd bod cylch cerrig Ceri, fel cylch cerrig y Capel, yn rhan o dirwedd ddefodol, oherwydd mae tri thwmpath gladdu yn agos iawn i'r cylch cerrig ar hyd Lôn Las Ceri: Kerry Pole Barrow (SO 166 866), Shenton's Tump (SO 158 862) a Black Wood Barrow (SO 152 863).

Awgrym arall gan Gibson yw bod yr enw 'gorsedd' yn cael ei gysylltu â'r safle: bod y ffaith i'r cerrig gael eu gosod mor rheolaidd (fesul 10m) yn y cylch, a bod carreg yn y canol, efallai yn cyd-fynd â'r syniad o gylch cerrig yr orsedd. Eto, does dim tystiolaeth i awgrymu unrhyw gysylltiad â gorsedd eisteddfodol – yr hyn mae Gibson yn ei wneud, dwi'n credu, yw ceisio ystyried pob opsiwn. Mae'r syniad o gylch cerrig Gorsedd y Beirdd yn perthyn i gyfnod Iolo Morganwg pan osododd gylch o gerrig bychain o'i boced ar lawnt gefn yr Ivy Bush yng Nghaerfyrddin yn 1819 ar gyfer un o'i ddefodau Eisteddfodol. Efallai, yn wir, fod pobl wedi defnyddio'r gair 'gorsedd' ar ôl cyfnod Iolo i geisio esbonio cylch cerrig fel hyn, ond fedra i ddim gweld dim mwy na hynny i'r peth.

Un o gerrig Cylch Cerrig Ceri

Mae awgrym ar wefan *Archwilio* fod llun awyr o'r safle yn yr eira gan y Comisiwn Brenhinol yn dangos clawdd o amgylch y cylch, ac efallai fod y cerrig yn sefyll yn y clawdd neu ar ymyl clawdd. Os felly, byddai hyn yn enghraifft anarferol yn yr ardal hon o'r hyn a elwir yn *embanked stone circle*. Rhaid cofio mai nodi'r holl bosibiliadau a'r trafodaethau ynglŷn â'r safle mae Ymddiriedolaeth Archaeolegol Clwyd Powys, felly does dim ateb pendant i'w gael ar *Archwilio*. Tybed a fu ailddefnydd o loc cyn-hanesyddol yma ar gyfer y cylch? Yr esboniad arall, fel y nodais uchod, yw bod y clawdd honedig yn cynrychioli terfyn y tir sydd wedi ei aredig a dim mwy na hynny.

Drwy orddamcaniaethu gallwn orgymhlethu pethau, ac am y tro byddwn yn awgrymu fod Cylch Cerrig Ceri, fel Cylch Cerrig y Capel, Cefn Coch, yn enghreifftiau da o'r cylchoedd bychain, oddeutu 20–25 medr ar draws gyda cherrig isel, sy'n perthyn i'r Oes Efydd yn y rhan yma o Gymru.

Rhesi Cerrig Pentrefoelas

Rhes gerrig, carnedd a maen hir Hafod y Dre

Fy hen gyfaill, yr archaeolegydd Ken Brassil, aeth â fi i fyny at y rhesi cerrig yma am y tro cyntaf, a diolch byth am hynny. Wrth reswm, gwerthfawrogais y cwmni a'r sgwrs, ond heb Ken rwyf yn amau yn fawr iawn a fyddwn i wedi cael hyd i res gerrig Hafod y Dre heb gryn drafferth.

Rwyf wedi cynnwys manylion y daith gerdded ar ddiwedd y bennod, ond mae'r olion yma yn anodd iawn i'w gweld nes bydd

Fi ger Rhes Gerrig Hafod y Dre

rhywun fwy neu lai yn sefyll arnynt. Y garnedd gladdu fydd rhywun yn ei chyrraedd gyntaf o ddilyn y cyfarwyddiadau, a'r hyn a welir yw tomen isel, rhyw 4–5 medr ar draws, gyda gweddillion cist yn ei chanol. O edrych yn ofalus cawn awgrym o weddillion ymyl (*kerb*) i'r garnedd.

Bu A. W. Cocks yn cloddio yma yn 1884 ac mae'n bur debyg fod Cocks wedi gwneud mymryn o lanast o'r heneb. Mae'r gist ganolog yn cynnwys un garreg rydd ac mae amheuaeth mai canlyniad cloddio Cocks yw hyn oll. Gan fod cynifer o'r cerrig bellach o dan y tyweirch, mae'n anodd gwneud pen na chynffon o'r ymyl (*kerb*) go iawn na gwahaniaethu rhwng unrhyw gerrig o'r rhes gerrig sydd yn ymestyn at y garnedd.

Anodd iawn yw gweld a dehongli'r gwahanol resi o gerrig sy'n ymestyn o'r garnedd i'r gogledd-ddwyrain. Y garreg fwyaf amlwg yw'r maen hir sydd wedi disgyn ar ei ochr ar ben un o'r rhesi cerrig. Mesura'r maen hir o leiaf 1.5 medr er bod y rhan isaf o dan y tyweirch. Cefais yr argraff fod y maen hir yn sefyll y tu allan i'r rhesi cerrig, ar yr ochr ogleddol i'r rhesi a rhyw 22 medr o'r garnedd gladdu – ond yn amlwg, fedra i ddim bod yn sicr a oedd y maen hir yn rhan o res gerrig neu yn garreg yn sefyll ar derfyn gogleddol y gofadail.

Maen hir Hafod y Dre wedi disgyn ar un o gerrig y rhes gerrig

Yn ôl *Archwilio* mae 130 o gerrig yn rhan o'r rhesi hyn, ac yn ymestyn dros arwynebedd o 20m sgwâr. Mesurais tua 30m rhwng y garnedd gladdu a'r garreg bellaf i'r gogledd-ddwyrain, ond doedd dim cerrig i'w gweld i'r de-orllewin o'r garnedd gladdu.

O ran maint, mae'r cerrig yn weddol gyson ac yn gorwedd rhwng 0.5 ac 1.5 medr ar wahân, gyda'r gwahanol resi tua 0.5 medr i 1.0 medr ar wahân ar linell o'r de-orllewin i'r gogledd-ddwyrain. Fe sylwch fod nifer o'r cerrig wedi eu gosod ar eu hochr, ac o ganlyniad mae eu hymyl yn dilyn llinell y rhes.

Rhes Gerrig Ffridd Can Awen

Rhyw ddeg munud o waith cerdded sydd rhwng y ddau safle, ac awgrymaf, os yw rhywun yn gwneud yr ymdrech i ddod yma, mai ffôl fyddai peidio ag ymweld â'r ddau safle. Mae troedio Llwybr Hiraethog yn bleser ynddo'i hun – rydym yn ardal y gylfinir (neu chwibanogl y mynydd) yma, gyda'i big hir nodweddiadol. Hyd yn oed heb y nodweddion archaeolegol dychmygaf fod hon yn ardal i fodloni'r naturiaethwr.

Rhaid cyfaddef fod ceisio dehongli rhes gerrig Ffridd Can Awen hefyd bron yn amhosib. Mae'r cerrig mewn porfa, a'r tebygrwydd yw bod cynifer o gerrig wedi eu disodli dros y blynyddoedd fel bod ceisio gwneud pen na chynffon ohonynt yn dipyn o gamp. Os yw cerrig eraill yn gorwedd o dan y tyweirch, dim ond rhan o'r darlun rydym yn ei weld heddiw. Mae adroddiadau hanesyddol yn awgrymu bod y rhesi ar linell ogledd-ddwyrain a de-orllewin, ond yr oll a wêl yr ymwelydd heddiw yw cerrig yn gorwedd blith draphlith ar draws rhan o'r cae.

Fel yn achos rhes gerrig Hafod y Dre, gwelir bod rhai o'r cerrig wedi eu gosod ar eu hochr gan orwedd ar linell y rhes. Bu cloddio yma hefyd yn 1884, ac awgryma gwefan *Archwilio* fod arwynebedd y rhesi yn wreiddiol yn ymestyn dros 120 medr sgwâr a bod y cerrig yn sefyll i uchder o rhwng 0.1 a 0.2 medr. Mae Cadw yn awgrymu bod dros 450 o gerrig yma.

Y gred, unwaith eto, yw bod y rhes gerrig hon yn gorwedd o fewn tirwedd a ddefnyddiwyd yn ystod yr Oes Efydd. Cofnoda *Archwilio* fod olion caeau yr Oes Efydd (SH 877 536) ychydig i'r gorllewin o'r rhes gerrig a sawl cist gladdu bosib ychydig i'r dwyrain o'r rhesi (yn yr un cae heddiw). Cawn ddigonedd o olion carneddau a chistiau i'r gogledd i gyfeiriad Llyn Awen. Beth bynnag oedd yn digwydd yma yn yr Oes Efydd, byddai unrhyw un a fyddai'n edrych i lawr o ochr y bryn wedi cael golygfa dda dros y rhesi cerrig.

Llwybr Archaeolegol Brenig
Cyfnod: Oes Efydd

Os oes gennych ddiddordeb mewn tirweddau defodol o'r Oes Efydd, byddai ymweld â'r hyn a elwir yn fynwent Oes Efydd ger Llyn Brenig yn ffordd dda o ddysgu mwy am y cyfnod, gan fod llwybr archaeolegol pwrpasol wedi ei baratoi ar gyfer ymwelwyr. Does dim olion o resi cerrig yma, ond mae digonedd o garneddau claddu, a byddwn yn awgrymu y byddai dod yma yn fan cychwyn da cyn mynd i chwilota am y safleoedd mwy diarffordd rwyf yn eu trafod yn y bennod yma ac ym Mhennod 1.

Cyn creu'r argae yn y 1970au, cafodd archaeolegwyr gyfle i gloddio'r gwahanol garneddau yn y dirwedd ddefodol hon o'r Oes

Carnedd lwyfan Brenig

Efydd, ac ers hynny mae nifer o'r carneddau wedi cael eu hadfer, a hynny ar eu safleoedd gwreiddiol lle'r oedd hynny'n bosib.

Carnedd lwyfan

Dilynwch y llwybr pwrpasol o amgylch y gwahanol garneddau ger Llyn Brenig (Cyfeirnod Map OS 116 man cychwyn SH 983574). Awgrymaf fod angen prynhawn go dda i gerdded a gwneud cyfiawnder â'r llwybr archaeolegol, ond cewch gyfle yma i weld carnedd gylchog (Boncyn Arian) ger y llyn, carnedd lwyfan /platfform (SH 989 569) a charnedd ag ymyl (*kerb*) ger (SH 995 563). Gydag amrywiaeth o arddulliau carneddau ar hyd y llwybr, dyma

Carnedd ymylfaen

gyfle am gyflwyniad sydyn, yn ogystal ag un braf a chymharol hamddenol, i arferion claddu yn yr Oes Efydd yng ngogledd Cymru.

Ceir olion tai llwyfan a hafotai o'r canol oesoedd hefyd ar hyd y llwybr archaeolegol, sy'n dyst i'r ffaith nad yw'r dirwedd yn aros yn llonydd a bod y trigolion lleol wedi bod wrthi yn defnyddio'r tir ar gyfer eu dibenion gwahanol dros y canrifoedd.

43

Cylchoedd a Rhesi Cerrig

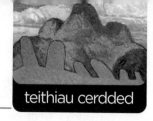

1. Cylch Cerrig y Capel, Cefn Coch

Hyd y daith: oddeutu 40 munud
Map yr Ardal: OS Landranger 136
Cyfeirnod Map OS: : SH 999 001
Parcio: gyferbyn â mynedfa Tŷ Uchaf ger y cafnau anifeiliaid.
Graddfa: Cymedrol/anodd. Bydd angen esgidiau cerdded. Mae'r tir yn wlyb iawn mewn mannau.
Man Cychwyn:
Dilynwch yr arwyddion ffordd neu'r map OS o Lanfair Caereinion am Gefn Coch. O ganol Cefn Coch dilynwch y ffordd i'r chwith am Adfa/Llanllugan – mae'r gyffordd gyferbyn â'r blwch ffôn K6 coch ger y Cefn Coch Inn.

Dilynwch y ffordd gul yma gan gadw i'r dde/syth ymlaen (sef peidio â throi am Lanllugan) ar ôl 0.2 milltir, ac ar ôl milltir fe welwch arwydd i'r dde am barc carafannau Carmel. Cymerwch y troad yma ac yna trowch i'r chwith wedyn ar ôl 50 medr (eto gan ddilyn arwyddion Carmel).

Mae'r ffordd gul yma'n rhedeg yn gyfochrog ag afon Rhiw. Ewch heibio i faes carafannau Carmel (1.9 milltir o Gefn Coch). Fe welwch bwll pysgod, carafannau disymud a derbynfa Tŷ Newydd ar y dde. Ewch yn eich blaen gan fynd dros y bont fechan hefo rheiliau gwyn a dringwch yr allt a drwy'r giât gyntaf (2.8 milltir o Gefn Coch).

Parciwch yn ofalus ger ochr y ffordd pan fydd yn troi'n ffordd drol – gyferbyn â throad Tŷ Uchaf. Oddi yma, dilynwch y ffordd drol yn syth ymlaen hyd at yr ail giât, ac wedyn bydd angen croesi'r cae ar y dde gan anelu at y giât ym mhen uchaf ochr chwith y cae.

Rydych nawr angen dringo dros ysgwydd ogleddol Esgair Cwmowen gan groesi at ochr orllewinol y bryn (does dim rhaid dringo i gopa'r bryn i wneud hyn). Yma fe ddylech ddod o hyd i lwybr yn arwain i lawr ochr Esgair Cwmowen i gyfeiriad y gorllewin. Fe welwch y melinau gwynt yn y pellter o'ch blaen.

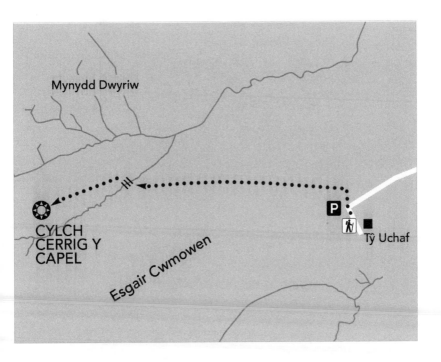

Dilynwch y llwybr llydan yma'r holl ffordd at y pant yng ngwaelod y cwm, gan gadw golwg ar y coedwigoedd bychain ar yr ochr dde. Ewch dros y ffrwd fechan ac yna croeswch y cae o'ch blaen/cadw i'r chwith ar y llwybr gan anelu at y giât ym mhen pella'r cae. O'ch blaen fe welwch fryn isel wedi ei orchuddio â brwyn – ewch i gyfeiriad canol y bryn ac mae'r cylch cerrig yma yng nghanol y brwyn. Nid hawdd yw gweld y cerrig o bell. O edrych ar y Map OS fe sylwch fod y cylch cerrig ar godiad tir rhwng y ddwy ffrwd fechan sy'n llifo i afon Rhiw.

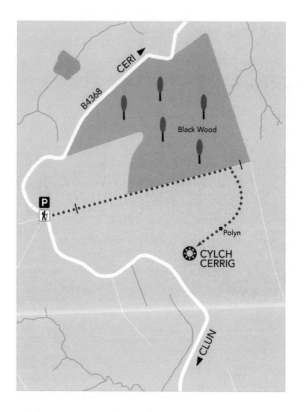

2. Cylch Cerrig Ceri

Hyd y daith: hyd at 20 munud o'r maes parcio at y cylch cerrig.
Map yr Ardal: OS Landranger 136
Cyfeirnod Map OS: SO157 860
Parcio: Maes Parcio Lôn Las Ceri (Kerry Ridgeway) ar y B4368 rhwng Ceri ac Anchor. Mae'r maes parcio ar gyfer Lôn Las Ceri ar ben y bryn ar yr ochr chwith wrth ddod o Ceri. Mae Lôn Las Ceri yn croesi'r B4368 yma.
Graddfa: Hawdd. Bydd angen esgidiau cerdded.
Man cychwyn: Dilynwch lwybr Lôn Las Ceri i gyfeiriad y de gan fynd drwy'r giât gyntaf (arwydd Lôn Las Ceri ar y postyn). Dilynwch y ffordd gan gadw'r goedwig ar eich llaw chwith a chaeau

agored ar y dde nes i chi ddod at yr ail giât. Yma bydd y llwybr yn gwyro i'r dde (peidiwch â mynd drwy'r giât). Fe welwch bolion trydan yn y cae – anelwch at y polyn yng nghanol y cae. Mae'r cylch cerrig ychydig tu hwnt i'r polyn trydan mewn porfa ddefaid – mae'r glaswellt yn isel ond mae'r cerrig yn isel hefyd, felly nid hawdd yw eu gweld o bell.

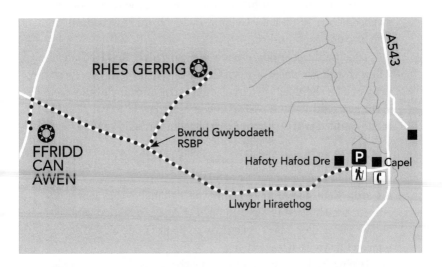

3. Rhesi Cerrig Hafod y Dre a Ffridd Can Awen, Pentrefoelas

Hyd y daith: 20–30 munud o'r man parcio at y rhes gerrig gyntaf (Rhes Gerrig Hafod y Dre), wedyn rhyw ddeng munud ychwanegol at yr ail res (Rhes Gerrig Ffridd Can Awen)
Map yr Ardal: OS Landranger116
Cyfeirnod Map OS: Rhes gerrig Hafod y Dre, Pentrefoelas
 Cyfeirnod Map OS: SH 885 537
 Rhes gerrig Ffridd Can Awen, Pentrefoelas
 Cyfeirnod Map OS: SH 878 534
Parcio: Mae lle i un neu ddau o geir ger yr hen gapel/blwch ffôn coch ger cyffordd Hafoty Hafod Dre ger yr A543.
Graddfa: Cymedrol. Bydd angen esgidiau cerdded.
Man cychwyn: O Bentrefoelas cymerwch yr A543 i gyfeiriad y gogledd i gyfeiriad Dinbych, ac ar ôl rhyw filltir fe ddowch at

gyffordd fechan gyda blwch ffôn (K6, cynllun Giles Gilbert Scott) ar yr ochr chwith ger adfail hen gapel. Mae arwydd Hafoty Hafod Dre ar y giât. Parciwch ger y capel.

Cerddwch i fyny'r ffordd fechan hon, heibio Hafoty Hafod Dre (ar y dde) a dilynwch arwyddion Llwybr Hiraethog yn syth yn eich blaen am y mynydd. Mae Llwybr Hiraethog yn llwybr llydan a bydd angen dilyn y llwybr am tua ½ milltir nes i chi gyrraedd bwrdd gwybodaeth yr RSPB am y Gylfinir. Bydd y bwrdd gwybodaeth ar eich llaw dde ger tanc dŵr.

Yma rhaid troi i'r dde, croesi'r cae gan gadw'r ffrwd fechan ar y llaw chwith gan anelu at y giât (llidiart) ar ben ucha'r cae. Ewch drwy'r giât a cherdded i gyfeiriad y wal gerrig ar ochr chwith y cae. Wrth gyrraedd y wal fe welwch olion hen glawdd terfyn ac mae modd cerdded ar grib y clawdd yma nes i chi gyrraedd y safle ar ben y bryn.

Wrth gyrraedd y rhes gerrig bydd y garnedd gladdu a gweddillion y gist ganolog (carnedd isel iawn) o'ch blaen, a'r maen hir sydd wedi disgyn ar ei hochr yng nghanol y rhes gerrig. O edrych yn eich blaen i'r dwyrain bydd yr A543 i gyfeiriad Dinbych yn awr yn y golwg. Mae'r safle rhyw 10 medr i'r dde o'r wal gerrig fel mae'r tir yn dechrau gostwng.

Dychwelwch yr un ffordd at Lwybr Hiraethog ger bwrdd gwybodaeth yr RSPB, trowch i'r dde a dilynwch y llwybr nes cyrhaeddwch y groesffordd. Yma cymerwch y llwybr i'r chwith, ewch drwy'r giât a bydd rhes gerrig Ffridd Can Awen ar eich llaw chwith yn y cae porfa yma. Mae'r rhesi cerrig, sydd yn isel iawn a bron yn amhosibl eu gweld o bell, rhyw 50 medr i'r gogledd-ddwyrain o'r pentwr cerrig diweddar yn y cae.

O droi eich cefn ar y pentwr cerrig a cherdded yn groes ar draws y cae gan anelu at y brwyn (a chyfeiriad Llwybr Hiraethog o'ch blaen) fe ddowch at y rhesi cerrig – ond amhosibl yw gwneud unrhyw synnwyr o'r rhesi bellach. Yr unig beth i'w weld yw clystyrau o gerrig.

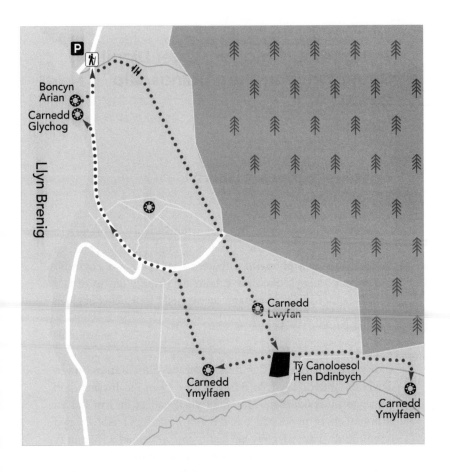

4. Llwybr Archaeolegol Brenig

Hyd y daith: 1½ awr–2 awr
Map yr Ardal: OS Landranger 116
Cyfeirnod Map OS: Man cychwyn SH 983574
Parcio/Man Cychwyn: Maes parcio penodol oddi ar y B4501 rhwng Dinbych a Cherrigydrudion.
Graddfa: Cymedrol. Bydd angen esgidiau cerdded.
Mae'r llwybr hwn wedi ei farcio'n dda. Dilynwch yr arwyddion – gweler y map.

Pennod 3
Bryngaerau Gardden, Caer Digoll a Chaer Ogyrfan (Hen Ddinas/Old Oswestry)

Cyfnod: Oes Haearn

Bryngaer Gardden, Llanerfyl

> Roedd Rhys yn un o fy nghyfoedion ysgol uwchradd. Ta waeth, aeth Rhys wedyn drwy ei gyfnod 'blin', fel petai, yn herio pawb a phopeth, a fedrwn i yn fy myw â chysoni'r person annwyl, afieithus y bûm i'n ffrindie efo fo dros y blynyddoedd â'r pync ifanc cecrus oedd mor uchel ei gloch ar y teledu a radio!
>
> Siân James

Daw'r dyfyniad uchod o hunangofiant Siân James, un o drigolion amlycaf Dyffryn Banw, a daw gwên i'm hwyneb bob amser wrth ei ddarllen. Mae Siân yn llygad ei lle i ni fod yn ffrindiau ers blynyddoedd, a hyd heddiw mae gen i feddwl y byd ohoni. Rydw i am wisgo fy het 'canu pop' am eiliad a rhannu fy marn broffesiynol am Siân James, y delynores a'r gantores werin: mae ganddi fwy o dalent yn ei bys bach nag sydd gan y rhan fwyaf o grwpiau pedwar aelod yn eu cyfanrwydd.

Efallai nad oes angen tynnu sylw at dalentau cerddorol a chreadigol Dyffryn Banw, gan fod enwau Linda Plethyn a Siân James mor gyfarwydd; felly hefyd y cyfnitherod Christine ac Eleri Mills, yr arlunwyr (gweler Pennod 1). Ond teimlaf yn gryf nad oes modd llwyr werthfawrogi'r dirwedd hanesyddol/ archaeolegol heb hefyd werthfawrogi'r dirwedd ddiwylliannol a'r un sy'n ymwneud â'r iaith Gymraeg.

Hyn a'm hysgogodd i fynd am dro, pan oeddwn yn sgwennu'r llyfr yma, i fryngaer Gardden yng nghwmni Siân, yr

Eleri Mills, Sian James ac Olwen Chapman

arlunydd Eleri Mills a chyfaill iddynt o Lanerfyl, Olwen Chapman. Yn wir, saif y fryngaer hynod hon ar fryn yn union uwchben cartref Siân ac ar dir ei brawd, Lloyd. Braf oedd gwrando ar y tair ffrind yn hel atgofion am eu plentyndod yn Llanerfyl, ond chefais i ddim gwybodaeth o'r newydd am y gaer, dim sôn am ddreigiau na chawr yma, a'r gwir amdani yw mai ychydig iawn o wybodaeth sydd ar gael am gaer fechan fel hon.

Bryngaer Gardden yw un o fy hoff safleoedd yn y byd, ac un o'r bryngaerau cyntaf i mi dod i'w hadnabod fel hogyn ifanc a'i fryd ar fod yn archaeolegydd. Treuliais lawer o amser yn ystod fy arddegau yn crwydro Dyffryn Banw yn chwilio am wahanol safleoedd archaeolegol, ac yn ystod fy nyddiau coleg (1980-83), Gardden a bryngaerau Dyffryn Banw oedd testun traethawd hir fy nghwrs gradd Archaeoleg yng Ngholeg y Brifysgol, Caerdydd.

Caer gymharol fechan a chron yw'r Gardden, rhyw 45 medr ar draws, yn eistedd yn daclus ar ben y bryn i'r de o bentref Llanerfyl, gyda chlawdd amlwg tua 2.5 medr o uchder o'i hamgylch ac awgrym o'r ffos wreiddiol ar y tu allan iddi.

Gardden o bell

Disgrifir y gaer fel un gyda chlawdd sy'n dilyn y cyfuchlin naturiol – y term archaeolegol am gaer o'r fath yw unglawdd neu *univallate*, sef caer ag un clawdd neu fur o'i hamgylch.

Ar ochr ddwyreiniol y gaer mae ychwanegiad, neu loc, atodol (*annexe*), sy'n rhedeg am ryw 45 medr, gyda'r clawdd yn sefyll i uchder o 1 medr. Awgryma Cadw (1998) fod y clawdd hwn yn llinell amddiffynnol ychwanegol ar ochr wannaf y gaer ac o flaen y fynedfa. Gall atodiad o'r fath fod yn lle i gadw anifeiliaid hefyd, wrth gwrs, ond yr esboniad tebygol yng Ngardden yw bod hwn yn glawdd amddiffynnol ychwanegol lle'r oedd ei angen.

Does dim yn anarferol mewn gweld cloddiau ychwanegol o flaen mynedfa i fryngaer, a gwelir enghreifftiau o systemau cymhleth o amddiffyn mynedfeydd caerau fel Caer Fawr, Cegidfa (Cyfeirnod Map OS: 126 SJ 224130) a Ffridd Faldwyn, Trefaldwyn (Cyfeirnod Map OS: 137 SO 217969). Mae llociau atodol yng Nghaer Drewyn, Corwen (Cyfeirnod Map OS: 125 SJ 088444) ac, wrth gwrs, yn Nhre'r Ceiri yn Arfon, ond awgrymir bod y rhain yn enghreifftiau o ehangu neu ychwanegu at y caerau gwreiddiol.

Ceir cynllun bras o'r gaer yn llyfr Gutyn Padarn, *Parochial Histories of Llangadfan, Garthbeibio and Llanerfyl*, a gwelir yr ychwanegiad/lloc i'r dwyrain o'r gaer – er, yng nghynllun Gutyn Padarn, mae awgrym o ddau glawdd o amgylch y gaer. Efallai fod Gutyn wedi sylwi ar wrthglawdd (*counterscarp*) o amgylch y gaer. Weithiau, er mwyn cryfhau'r llinell amddiffynnol, byddai rhan helaeth o'r pridd o'r ffos yn cael ei daflu i'r ochr fewnol er mwyn adeiladu'r clawdd, gyda phalisâd neu wal ar ei ben wedyn. Eto, efallai fod rhan o'r pridd wedi cael ei daflu dros ochr y bryn, sef ochr allanol y ffos, a bod hyn yn creu'r argraff o ddau glawdd. Modd neu dechneg adeiladu i ychwanegu at yr elfen amddiffynnol fyddai hyn. Nid oes sicrwydd fod gwrthglawdd bwriadol yn Gardden.

Mae awgrym hefyd ar ochr orllewinol y gaer fod rhyw fath o wal gerrig (*revetment*) ar hyd ochr allanol y clawdd mewnol. Mewn achos fel hyn byddai 'wal' o gerrig wedi ei defnyddio i gryfhau'r clawdd neu i'w ddal yn ei le. Fe sylwodd Gutyn Padarn ar hyn yn 1883, yn ôl adroddiad CPAT ar *Archwilio*. Eto, does dim yn anarferol mewn ychwanegiadau o'r fath er mwyn cryfhau cloddiau, a gwelwn dechnegau cymhleth a dyfeisgar ym mryngaer Moel y Gaer (Pennod 4) i'r perwyl hwn.

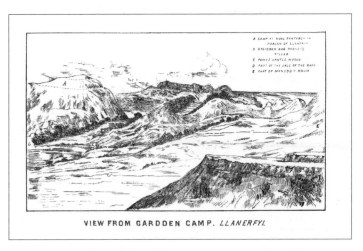

VIEW FROM GARDDEN CAMP. *LLANERFYL*

Yr olygfa o Gardden o lyfr Gutyn Padarn, 1895

Yn ddiweddar, ymestynnwyd yr ardal restredig o amgylch caer Gardden gan Cadw gan fod dau safle claddu posib o'r Oes Efydd wedi eu gweld o awyrluniau ychydig i'r gogledd-ddwyrain o'r gaer (Gardden Hillfort Barrow I a II, *Archwilio*). Does dim cloddio archaeolegol wedi digwydd ar y claddfeydd i brofi hyn yn ddigamsyniol, ond byddai llecyn fel Gardden yn ddigon arferol fel man claddu yn ystod yr Oes Efydd gan y byddai'r safle yn un amlwg ar y dirwedd.

Cawn nifer o nodweddion archaeolegol eraill a all fod yn domenni a charneddau claddu ar yr ucheldir i'r de a'r de-ddwyrain o Gardden ar gofrestr *Archwilio*. Mae'n bosib bod rhai o'r rhain yn nodweddion naturiol neu yn gerrig wedi eu pentyrru wrth glirio caeau – mae'n anodd bod yn sicr pa mor hynafol ydynt.

O ran arddull, gall caer fel Gardden ddyddio, a dweud y gwir, o unrhyw gyfnod o'r Oes Haearn (700 cyn Crist – 45 oed Crist) neu yn wir o'r cyfnod Rhufeinig. Nid caer Rufeinig mohoni – doedd y Rhufeiniaid ddim yn adeiladu pethau crwn – ond does dim yn profi nad oedd yn cael ei defnyddio gan bobl o'r llwyth brodorol yn y ganrif gyntaf oed Crist, er enghraifft. Yn aml, does dim digon o dystiolaeth gennym i ddyddio bryngaerau gyda sicrwydd, ond mae digonedd o enghreifftiau o fryngaerau sy'n dyddio o'r Oes Efydd (Breidden a Moel y Gaer) ac enghreifftiau o ddefnyddio bryngaerau yn y cyfnod Rhufeinig (Tre'r Ceiri/Dinas Emrys).

Gwyddom i'r Rhufeiniad fod yn y rhan yma o Faldwyn. Mae caeran fechan y Gaer ar ben y Gibbet ger Llanfair Caereinion (Cyfeirnod Map OS: SJ 106044), a cheir argraff o gaeran arall yn Llanerfyl mewn lluniau a dynnwyd o'r awyr o safle ger Hafan (Cyfeirnod Map OS: SJ 043108). Mae'n debygol bod y ffordd Rufeinig am Gaerswŷs yn dilyn rhan o Ddyffryn Banw, ychydig i'r dwyrain o Gardden, ac os felly byddai'r gaer yma'n ddigon agos at y ffordd petai'n cael ei defnyddio yn y cyfnod Rhufeinig.

Un o'r anawsterau mawr yw dyddio bryngaerau heb dystiolaeth neu gloddio archaeolegol. Sefydlwyd rhai o'r bryngaerau amlwg cyfagos, fel Breidden ger y Trallwng (Cyfeirnod Map OS: SJ 295144), yn yr Oes Efydd Hwyr (rhywbryd ar ôl 1000 cyn Crist) ac roeddynt yn cael eu defnyddio dros gyfnod hir o amser, ond does gennym ni ddim gwybodaeth o'r fath am fryngaer Gardden.

Caer Digoll, Y Trallwng
Cyfnod: Oes Haearn

Enghraifft arall o fryngaer unglawdd (*univallate*) yw Caer Digoll neu Beacon Ring fel y mae'n cael ei hadnabod yn Saesneg. Saif y gaer hirgron hon ar gopa Cefn Digoll (Long Mountain) ychydig i'r de o'r Trallwng, ac mae golygfeydd da i lawr o'r gaer ar y dref farchnad ganoloesol. Er i mi gael fy magu yn yr ardal hon, roedd yr enw Caer Digoll yn ddieithr i mi tan yn ddiweddar iawn – Beacon Ring roedd pawb yn ei ddweud yn lleol.

Daeth yr enw Saesneg hwn yn sgil yr arferiad o danio coelcerth ar y safle ar adegau o argyfwng, mae'n debyg. Taniwyd y goelcerth olaf yma ym Mehefin 1887 i ddathlu 50 mlynedd o deyrnasiad y Frenhines Fictoria.

Bellach mae'r gaer dan ofal Ymddiriedolaeth Clwyd Powys – yn wir, nhw sydd berchen ar y tir – ac mae modd cerdded ar hyd y clawdd mewn cylch cyfan o amgylch y gaer, sy'n brofiad gwerth chweil gyda golygfeydd gogoneddus i'r gogledd a'r gorllewin. Gan fod coedwig wedi ei phlannu yma yn 1953, tydi mentro drwy ganol y gaer ddim gymaint o hwyl, felly cerdded o amgylch y gaer yw'r profiad gorau yma.

O'r awyr gellir gweld coed wedi eu plannu ar ffurf 'E II R' yng nghanol y goedlan er mwyn cofnodi coroniad Elizabeth II. Mae hyn yn ddiddorol mewn sawl ffordd. Yn wleidyddol, mae'r frenhiniaeth yn wrthun i gymaint ohonom fel Cymry Cymraeg, neu yn sicr yn bwnc trafod; ac yn archaeolegol does dim posibl fod gwreiddiau'r coed yn gwneud fawr o les i'r gweddillion tanddaearol. Ond awgrymaf yn betrusgar fod yr hanesydd ynof yn gweld hyn, sef y dyddiad, yn eitha diddorol – wedi'r cyfan, dyma'r flwyddyn y cyrhaeddodd Hillary a Tenzing gopa Everest.

Efallai fod y profiad o gerdded o amgylch Caer Digoll yn rhagori ar yr olion gweledol, ond eto mae'r ffos yn un amlwg a dofn, felly mae rhywun yn cael argraff o gryfder amddiffynnol y gaer hon wrth gerdded o'i hamgylch. Dyma le felly i fwynhau'r olygfa, ond hefyd i gydnabod y chwedlau cysylltiedig.

Un stori sy'n cael ei chysylltu â'r safle yw mai yma ar Gefn Digoll y bu brwydr rhwng Cadwallon, brenin Gwynedd, ac Edwin, brenin Northumbria, yn y flwyddyn 630 oed Crist. Bu i Edwin gipio Môn ac ymosod ar Gadwallon, oedd yn llochesu ar Ynys Seiriol tua'r adeg honno, yn ôl Beda Ddoeth. Ond daeth tro ar fyd, a bu i Gadwallon drechu Edwin a'i ladd wedyn ym mrwydr Meigen (Hatfield Chase ger Doncaster) oddeutu 632/633 oed Crist.

Cyfeiriodd Cledwyn Fychan mewn erthygl yn *Barn* at rai o chwedlau'r ardal hon pan oedd yr Eisteddfod Genedlaethol ym Mathrafal yn 2015, ac mae cyfeiriad yn *Canu Llywarch Hen* sy'n dyddio o'r 9/10fed ganrif fod Cadwallon wedi aros yma mewn 'lluest' neu wersyll am rai misoedd. Yn anffodus, does dim tystiolaeth archaeolegol i gadarnhau hyn.

Stori arall yw bod lluoedd Harri Tudur dan reolaeth Rhys ap Thomas, Abermarlais, Llangadog (ger Llandeilo) wedi aros yma ar Gefn Digoll yn 1485 ar eu ffordd i faes brwydr Bosworth. Cofiaf innau straeon a adroddwyd i mi pan oeddwn yn blentyn fod byddin Harri Tudur wedi aros dros nos (13 Awst 1485) ger Dolarddun (Dolarddyn), Castell Caereinion. Trist iawn yw gweld bod yr hen neuadd, Dolarddun, wedi hen ddiflannu – roedd yn adfail truenus yn y 1970au a does dim ohoni ar ôl bellach.

Yn ddiddorol iawn, mae stori fod maen hir Abermarlais wedi ei ailgodi gan Rhys ap Thomas i ddathlu buddugoliaeth Bosworth er mai maen hir o'r Oes Efydd fyddai hwn yn wreiddiol, mae bron yn sicr. Wedyn, oddeutu 1840 yn ôl y sôn, cafodd y garreg ei symud i'w safle presennol ger ochr yr A40 ger Llandeilo (OS: 146 SN 695 294).

Bryngaer Caer Ogyrfan (Hen Ddinas/Old Oswestry)
Cyfnod: Oes Haearn

Dyma Gôr y Cewri yr Oes Haearn.
Dr Rachel Pope, Prifysgol Lerpwl.

Dyma un o'r bryngaerau mwyaf trawiadol ar ynysoedd Prydain, ac un amlwg iawn i deithwyr ar hyd yr A5 wrth iddynt gyrraedd cyrion gogleddol Croesoswallt. Maint y gaer yw un o'r pethau mwyaf amlwg amdani, 40 o erwau, ynghyd â'r ffosydd a'r cloddiau anferth sy'n ei hamddiffyn a'r ffaith ei bod mewn cyflwr mor dda hyd heddiw.

Maddeuwch i mi yma am groesi Clawdd Offa, sy'n rhedeg ychydig i'r gorllewin rhwng Selattyn a'r Waun (gweler Pennod 6), ond doedd mo'r ffasiwn beth â Chlawdd Offa nac unrhyw ffin rhwng Cymru a Lloegr pan godwyd y gaer yma yn ystod yr Oes Haearn (700 cyn Crist–43 oed Crist), a chan ei bod mor agos i Gymru rwyf am ei chynnwys.

Ceir o leiaf dau enw Cymraeg ar Old Oswestry, ac un ohonynt yw 'Hen Ddinas', sydd yn enw digon addas ar safle o'r fath. Y llall, a hwn yw'r un sy'n cael mwyaf o ddefnydd, yw Caer

*Un o'r protestiadau i geisio achub cyffiniau Caer Ogyrfan
yn 2016 gan ymgyrch HOOOH*

Ogyrfan. Ogyrfan oedd tad Gwenhwyfar, gwraig y Brenin Arthur. Mae chwedl, neu draddodiad, mai yma y bu brwydr olaf Cynddylan o Bowys – un arall o ddisgynyddion Arthur.

Unwaith eto (fel yn achos hanes diweddarach Caer Digoll) rydym yn llwyr ddibynnol ar lawysgrifau a ysgrifennwyd rai canrifoedd yn ddiweddarach, ond awgrymwyd i Gynddylan ochri hefo Penda o Fersia yn erbyn Oswald o Northumbria, a bu brwydr a enwyd Brwydr Maes Cogwy rhywle ar gyrion Croesoswallt oddeutu 642 oed Crist. Ychydig iawn o dystiolaeth archaeolegol sydd gennym ynglŷn â'r cyfnod ôl-Rufeinig yma, felly rhaid bod yn ofalus iawn i beidio â derbyn hyn oll fel ffeithiau.

Rheswm arall dros gynnwys Caer Ogyrfan yn y llyfr yma yw'r gwrthdystio diweddar (2015–16) yn erbyn datblygu tai yng nghyffiniau'r gaer gan grŵp o'r enw Save Old Oswestry, protestiadau sydd wedi dangos maint y gefnogaeth ymhlith y werin bobl i'w treftadaeth. Er gwaethaf cynlluniau'r datblygwyr, mae protestiadau ac ymgyrchu hyd heddiw i warchod cyffiniau'r fryngaer, ac amser a ddengys a fydd yr ymdrechion, dan yr enw HOOOH (Hands Off Old Oswestry Hillfort) yn llwyddiannus. Wrth reswm, mae'r gaer ei hun yn safle rhestredig ond does dim yn gwarchod y dirwedd o amgylch y gaer.

Gan fod hon yn gaer mor enfawr, y tebygolrwydd yw ei bod yn un o brif safleoedd un o'r llwythau yn y rhan yma o'r byd. Cwestiwn arall yw pa lwyth yn union fyddai yma, gan ein bod ar y ffin rhwng tiriogaethau'r Ordoficiaid (canolbarth Cymru) a'r Cornovii (Swydd Amwythig/rhan o Swydd Caer). Awgryma Barry Cunliffe (1974) fod y caerau mawr yma ar hyd y ffin bresennol yn debycach i fryngaerau de Lloegr, ond tydi hyn ddim yn profi pa lwyth fyddai wedi eu hadeiladu, dim ond bod cysylltiadau rhwng pobloedd yr ardal a llwythau de Lloegr.

Gwyddom hefyd fod pobl wedi byw yma yn ystod y cyfnod Neolithig oherwydd i archaeolegwyr ddod o hyd i ddarnau o gallestr a bwyell garreg yma, ond tybir mai rhywbryd ar ddiwedd yr Oes Efydd neu ddechrau'r Oes Haearn y datblygwyd bryngaer ar y safle. Does dim yn anarferol mewn darganfod gwrthrychau neu olion amlgyfnod ar safleoedd – mae lle da i fyw yn lle da i fyw ym mhob cyfnod.

Credir bod o leiaf pedwar cyfnod gwahanol o adeiladu ar y gaer hon o'r Oes Haearn. Bu i'r archaeolegydd William Varley gloddio yma yn ystod 1939, ac awgrymodd ei waith cloddio fod y cloddiau a'r ffosydd wedi eu hychwanegu a'u hatgyweirio dros gyfnod o amser. Mae hyn yn batrwm digon arferol mewn bryngaerau – cael eu defnyddio dros gyfnod o amser ac ychwanegiadau bob hyn a hyn. Yn aml, ceir amddiffynfeydd syml i ddechrau yn amgylchu safle, ac ychwanegiadau mwy sylweddol yn ddiweddarach.

Yn achos Caer Ogyrfan mae'n ymddangos fod y cyfnodau olaf (Cyfnod 3 a 4) yn cynnwys y pyllau neu bydewau anferth ar ochr orllewinol y gaer, ac ar ôl hynny ychwanegwyd dwy linell arall o gloddiau o amgylch y gaer. Heb os, roedd elfen amddiffynnol yn hyn oll, ond doedd dim angen cymaint â hynny o gloddiau a ffosydd i wneud safle fel hyn yn ddiogel rhag unrhyw elyn, does bosib? Felly, mae'n rhaid bod rhyw elfen gofadeiliol yn ymwneud â statws a datganiad o gyfoeth neu hunaniaeth yn rhan o'r holl waith adeiladu yma. Hyd yn oed ar

Cerdded drwy'r fynedfa yng Nghaer Ogyrfan

raddfa fechan, rydym yn gweld bod safleoedd cylchfur dwbl ar benrhyn Llŷn fel Meillionydd a Chastell Odo yn rhannu'r math yma o adeiladu cofadeiliol neu gymunedol. Efallai fod pwysigrwydd i'r ffaith fod cymaint o'r boblogaeth leol wedi cyfrannu i'r gwaith adeiladu. Dengys y gwaith adeiladu fod trefn gymdeithasol, elfen hierarchol o fewn y gymdeithas a dymuniad, efallai, i ddatgan hunaniaeth llwythol. Rhaid gofyn a oedd sawl arwyddocâd neu bwrpas i'r cloddiau – mae'r elfen amddiffynnol yn amlwg, a'r syniad o statws y rhai oedd ar y tu mewn, ond rhaid ystyried y posibilrwydd mewn rhai achosion fod y cloddiau a'r ffosydd yn lloches i anifeiliaid dros nos hefyd.

O fewn Caer Ogyrfan byddai'r trigolion wedi byw mewn tai crynion, a cheir awgrym o awyrluniau fod eu caeau yn ymestyn o amgylch y gaer. Amaethyddiaeth fyddai'r economi bryd hynny, wrth reswm, a byddai'n hollol arferol i drigolion y bryngaerau amaethu'r tir o amgylch y gaer.

Yng nghanol rhai o'r cloddiau o amgylch Caer Ogyrfan mae pydewau anferth lled-hirsgwar sydd wedi cael eu henwi yn Elephant Pits. Gwelir y rhain ar yr ochr orllewinol, a chredir eu bod yn perthyn i'r trydydd cyfnod o adeiladu ar y gaer. Cofiaf eu trafod yn ystod fy nghwrs gradd Archaeoleg ym Mhrifysgol Cymru, Caerdydd, yn ystod 1980–83, ond hyd heddiw parhau mae'r dirgelwch am eu hunion ddefnydd. Ymhlith yr awgrymiadau mae pydewau storio i gadw pethau fel grawn; pyllau dŵr, tyllau chwarel, lloches ar gyfer gweithgareddau diwydiannol neu atgyfnerthiad i'r amddiffynfeydd. Yn sicr, wrth i'r gaer ddatblygu gwelir bod y mynedfeydd yn cael eu hehangu ac yn mynd yn fwyfwy soffistigedig. Erbyn diwedd yr adeiladu roedd y fynedfa orllewinol fwy neu lai yn goridor 100 medr o hyd, a fyddai wedi cyfyngu a ffrwyno unrhyw ymosodwyr yn sylweddol wrth iddynt geisio mynediad i'r gaer.

Cyfeiriais yn gynharach at agosrwydd Clawdd Offa, ond yn ddiddorol iawn yma yng Nghaer Ogyrfan rydym ar linell Clawdd Wat, sy'n rhedeg at y gaer o'r gogledd ac yn parhau wedyn i'r de yr ochr arall i'r gaer. Pwy bynnag adeiladodd Glawdd Wat, mae'n debyg iddynt ddefnyddio'r gaer fel rhan o linell y clawdd (Gweler Pennod 6).

Yn ddiweddarach, defnyddiwyd tu mewn y gaer yn ystod y Rhyfel Mawr gan filwyr o gamp Park Hall ger Gobowen. Mae nifer o nodweddion ar y dirwedd sy'n perthyn i'r cyfnod yma – rhai ohonynt yn ein camarwain i feddwl mai olion rhai o'r tai crynion ydynt. Fel rhan o'r ymarferion milwrol bu ffrwydron yn cael eu tanio yma gan achosi ceudyllau crwn – yn debyg iawn i olion tai crynion. Hefyd, gan fod y Rhyfel Mawr ar y Cyfandir yn defnyddio ffosydd fel llinellau milwrol, bu tipyn o ymarfer cloddio ffosydd yma gan achosi cryn dipyn o ddifrod i'r olion archaeolegol o fewn y gaer. Ganed y bardd enwog Wilfred Owen yn lleol a bu iddo ymarfer yma yn filwr ifanc.

Heb gloddio archaeolegol, nid hawdd felly yw gwahaniaethu bob amser rhwng y ceudyllau ffrwydrol diweddar a'r hyn a allai fod yn weddillion llwyfan neu blatfform ar gyfer tai crynion.

Os ydym am werthfawrogi maint a datblygiad y bryngaerau yn ystod yr Oes Haearn, mae Caer Ogyrfan heb ei hail yn y rhan yma o'r byd. Dim ond safleoedd fel Maiden Castle yn Dorset sy'n rhagori.

Bryngaerau Gardden, Caer Digoll a Chaer Ogyrfan (Hen Ddinas/Old Oswestry)

teithiau cerdded

1. Bryngaer Gardden, Llanerfyl

Hyd y daith: hyd at 30 munud o gerdded o faes parcio ger Neuadd Llanerfyl at y gaer

Map yr Ardal: OS Landranger 125

Cyfeirnod Map OS: SJ 033085

Man Cychwyn: Gadewch eich car yn y maes parcio o flaen Neuadd y Pentref a cherddwch ar hyd y ffordd i gyfeiriad Cwm Nant yr Eira. Ewch heibio i Ysgol Llanerfyl ar y chwith a chymerwch y ffordd fferm wedyn ar eich llaw chwith am Gardden. Dilynwch y ffordd fferm i fyny'r bryn.

Wrth gyrraedd fferm Gardden cadwch i'r dde heibio'r adeiladau gan ddilyn y llwybr cyhoeddus i ben y bryn. Byddwch yn dringo ochr dde'r bryn i ddechrau ac wrth gyrraedd yr ysgwydd bydd angen troi i'r chwith at gopa'r bryn. Fe fydd y fryngaer o'ch blaen ar y copa.

Graddfa: Cymedrol

Hefyd yn yr ardal:

Eglwys Llanerfyl; Carreg Rosteece (Cyfeirnod Map OS: SJ 034097) Caeran Rufeinig Y Gaer, Llanfair Caereinion, ar y Gibbet (Cyfeirnod Map OS: SJ 106044; ar dir preifat)

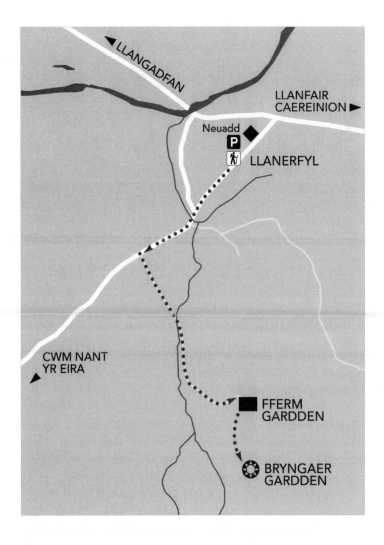

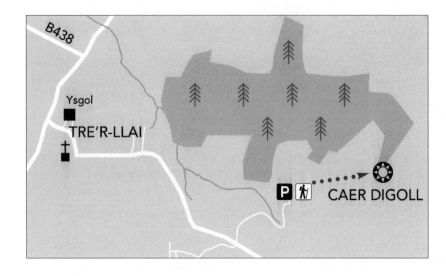

2. Caer Digoll, Tre'r-llai

Hyd y daith: 15 munud o gerdded o'r maes parcio at y gaer
Map yr Ardal: OS Landranger 126
Cyfeirnod Map OS: SJ 266058

Man Cychwyn: Yn y car, dilynwch y ffordd o'r Trallwng am Dre'r-llai, wedyn cymerwch y ffordd i fyny am Gefn Digoll (Long Mountain) o ganol Tre'r-llai ger yr ysgol, a dringwch yr allt heibio'r eglwys (mae'r arwyddion yn cyfeirio at Drelystan/Marton).

Parhewch i ddringo'r allt hyd at Bant-y-bwch (1.1 milltir) a chymerwch y troad i'r chwith am y goedwig (Phillip's Gorse). Mae arwydd pren am Gaer Digoll ar y darn glaswellt ar y gyffordd yma. Ffordd fechan iawn mewn cyflwr gwael yw hon, sy'n mynd i fyny drwy'r coed.

Parciwch yn y man parcio a dilynwch y llwybr dros ddau gae nes y byddwch yn cyrraedd y gaer. O'r safle parcio rydych angen dilyn y llwybr drwy'r cae ger ochr y goedwig yn hytrach na llwybrau'r goedwig.

Hefyd yn yr ardal:
Amgueddfa Powysland, y Trallwng
Castell Caereinion.

3. Caer Ogyrfan/Old Oswestry

Hyd y daith: 15 munud o gerdded o'r maes parcio at y gaer
Map yr Ardal: OS Landranger 126
Cyfeirnod Map OS: SJ 296310

Man Cychwyn: Mae maes parcio swyddogol. Dilynwch yr arwyddion brown am Old Oswestry oddi ar yr A483 ychydig i'r gogledd o ganol y dref. Bydd yr arwyddion brown yn eich cyfeirio drwy stad o dai ac mae'r maes parcio ger y caeau chwarae.

Rhaid croesi'r caeau chwarae at y ffordd fechan i'r gogledd er mwyn cyrraedd y giât at Gaer Ogyrfan sydd ychydig i fyny'r ffordd ar eich llaw dde. Rydych nawr ger ffosydd y gaer. Dringwch y llwybr pwrpasol a cherddwch o amgylch y gaer.

Pennod 4
Moel y Gaer, Rhosesmor, a'r Dirwedd Ddiwydiannol

Cyfnod: Oes Haearn/18fed–20fed ganrif

Dyma un o fryngaerau pwysicaf gogledd Cymru, yn bennaf oherwydd gwaith Graeme Guilbert (CPAT) yma yn y 1970au. O ganlyniad i'w waith cloddio archaeolegol ef, rydym yn deall llawer mwy am Foel y Gaer nag yr ydym ei wybod am y mwyafrif o fryngaerau Gwynedd, Clwyd a Phowys.

Saif y gaer, sy'n dyddio o'r mileniwm cyntaf cyn Crist, ar fryn bychan ger pentref Rhosesmor ac ar ochr ddeheuol Mynydd Helygain. Yn y bennod yma, rwyf am ganolbwyntio ar yr hyn sydd i'w weld yn y dirwedd hynod yma o amgylch Mynydd Helygain. Wrth ddilyn taith gerdded o amgylch y mynydd, gellir gweld safleoedd o wahanol gyfnodau gan ddechrau hefo Moel y Gaer a symud ymlaen i dirwedd ddiwydiannol Mynydd Helygain.

Ym Moel y Gaer mae cyfuniad perffaith o fryngaer drawiadol, mewn cyflwr da a chyda golygfeydd dros fryniau Clwyd a draw dros Gilgwri – ond un sydd hefyd yn gymharol hawdd i gerddwyr llai abl ei chyrraedd. Wrth edrych ar y dirwedd o'i amgylch, mae'n weddol amlwg fod y bryn hwn wedi ei ddewis yn fwriadol ar gyfer caer gan fod un ffos, ar y cyfan, yn ddigon i'w hamddiffyn, a byddai'r trigolion yn gweld unrhyw 'elyn' yn nesáu o unrhyw gyfeiriad.

Cawn nodweddion o fewn muriau'r gaer o wahanol gyfnodau, sy'n dyst i'r ffaith i ddyn barhau i ddefnyddio'r safle hynod gyfleus hwn am amser maith. Mae'n annhebygol y byddai hyn wedi dod i'r amlwg heb waith cloddio Guilbert rhwng 1972 ac 1974 – a phetai'r gronfa ddŵr sydd i'w gweld heddiw ar y bryn heb gael ei hadeiladu, mae'n debygol na fyddai Guilbert wedi cloddio yma o gwbl! Oherwydd y bygythiad o du adeiladu'r gronfa i'r olion archaeolegol, cafwyd cyfle i gloddio rhan sylweddol o'r gaer (tua

Hunlun ger y Trig Point

1/5 rhan o'r tu mewn) a dau ddarn o'r cloddiau a ffosydd amddiffynnol, ac o ganlyniad roedd Guilbert yn gallu awgrymu bod defnydd hir i'r safle a gwahanol 'gyfnodau' o adeiladu.

Yn aml iawn daw'r cyfle, a'r arian, ar gyfer cloddio archaeolegol pan fydd bygythiad i safle o ganlyniad i waith adeiladu o ryw fath. O ganlyniad i'r datblygiadau (a'r gwaith cloddio ei hun, yn aml) bydd y safle, neu rannau ohono, yn cael ei golli neu ei ddinistrio – ond o leiaf mae unrhyw waith cloddio yn golygu ein bod yn dysgu mwy am safleoedd o'r fath. Dyna yw'r peth pwysicaf. Fel arall, prin yw'r cyfleoedd i wneud gwaith cloddio ar gyfer ymchwil yn unig, heblaw drwy brifysgolion, fel yn achos gwaith Raimund Karl a Kate Waddington o Brifysgol Bangor ym Meillionydd, Llŷn.

Yr hyn y mae Guilbert yn ei awgrymu, felly, yw y datblygwyd y fryngaer yn gyntaf gyda chytiau crwn o bren wedi eu hamgylchynu gan balisâd, a hynny yn gynnar yn yr Oes Haearn neu hyd yn oed yr Oes Efydd hwyr.

Yng nghyfnod nesaf datblygiad y gaer cafodd y tai crynion gwreiddiol eu hailfodelu, ac mae awgrym bod mwy o gynllun a

Clawdd Moel y Gaer

threfn ar y modd roedd y cytiau yn cael eu gosod o fewn y gaer. Adeiladwyd clawdd a ffos llawer mwy sylweddol yn yr ail gyfnod, ac yn dilyn cloddio Guilbert darganfuwyd bod y clawdd wedi ei adeiladu mewn darnau penodol, neu gelloedd, gyda physt a waliau cerrig ar ochr flaen y clawdd a physt eraill yn cloi'r rhain wedyn wrth gorff y clawdd.

Drwy adeiladu'r clawdd mewn celloedd gwahanol, roedd modd i ddarnau eraill o'r clawdd wrthsefyll petai un gell, neu nifer o gelloedd eraill, yn disgyn o ganlyniad i ymosodiad. Dyma i chi enghraifft o soffistigeiddrwydd yr adeiladwyr yma yn yr Oes Haearn.

Bu cyfnod segur wedyn o fewn y gaer cyn cyfnod olaf ei datblygiad, pan adeiladwyd clawdd arall ar ben clawdd yr ail gyfnod. Awgrymir hefyd bod un tŷ hirsgwar a ddarganfuwyd gan Guilbert yn perthyn i'r cyfnod Neolithig. Mae'n ddigon posib bod amaethwyr yn ystod y cyfnod Neolithig wedi byw ar yr union fryn yma ond, yn amlwg, does dim cysylltiad o gwbl rhwng y tŷ Neolithig posibl a'r fryngaer sydd dros fil neu ddwy o flynyddoedd yn ddiweddarach.

Soniais ym Mhennod 3, wrth drafod Caer Ogyrfan (Old

Oswestry), sut y bu i fynedfa'r gaer honno gael ei chynllunio er mwyn gwthio unrhyw ymosodwyr i mewn i le cul a chyfyng – a chawn enghraifft arall yma ym Moel y Gaer o gynllun ar gyfer mynedfa sy'n creu rhwystr rhag unrhyw ymosodiad. Mynedfa sy'n troi i mewn yw hi, ar ochr ddwyreiniol y gaer, ac mae'n bosibl bod ystafell neu gell warchod wedi ei lleoli ar derfyn mewnol y clawdd. Gwelwn gelloedd gwarchod tebyg ym mynedfeydd bryngaerau Caer Drewyn, Corwen a Dinorben ger Abergele.

Ar y copa, ac i'w gweld yn ddigon amlwg, mae gweddillion tomen gladdu o'r Oes Efydd – o leiaf, dyna yw'r awgrym, er bod cryn ddadlau ai dyna yw'r domen mewn gwirionedd. Digon cyffredin yw gweld carneddau neu domenni claddu ar fryniau fel hyn, ond yn achos Moel y Gaer dydi'r domen ddim wedi ei dyddio gydag unrhyw sicrwydd. Awgrym arall yw bod yma orsaf signal Rufeinig – ond eto, rhaid cofio nad oes tystiolaeth archaeolegol i gadarnhau hyn. Yn sicr, roedd gan y Rhufeiniaid orsafoedd signal lle byddai coelcerthi yn cael eu tanio ar hyd arfordir gogledd Cymru, ond awgrym yn unig yw mai dyna sydd yma ym Moel y Gaer. Cynnig arall yw mai olion coelcerth ganoloesol sydd yma. Gwyddom fod rhywun wedi tyllu i'r domen yn y 1990au a bod y difrod wedi ei atgyweirio gan Cadw, a gwelwn olion y twll anghyfreithlon yng nghanol y domen hyd heddiw.

Fel enghraifft o fryngaer yr Oes Haearn yn ardal llwyth y Deceangli yn y cyfnod Celtaidd/Rhufeinig, mae Moel y Gaer yn sicr yn un sydd yn werth ymweld â hi.

Tirwedd Ddiwydiannol Mynydd Helygain

Wrth adael Moel y Gaer a dilyn llwybr ein taith gerdded (gweler diwedd y bennod), rydym yn crwydro ar draws tirwedd a drawsffurfiwyd yn ystod y 18fed a'r 19eg ganrif gan yr holl waith mwyngloddio a wnaed yma, a hynny am blwm yn bennaf. Gwelwn hefyd olion chwareli calchfaen yma ac acw, ond mae cannoedd ar gannoedd o weddillion siafftiau a thomenni sbwriel ar ôl y diwydiant plwm a sinc yn britho'r dirwedd – o'r awyr byddai rhywun yn taeru ein bod yn edrych i lawr ar wyneb y lleuad! Gwelwn weddillion siafftiau dros y lle, y rhan fwyaf bellach

Yr archaeolegydd Ken Brassil ger un o'r siafftiau

wedi eu hamgylchu gan ffens ac arwyddion 'Perygl' amlwg yn ein
rhybuddio i beidio â mentro yn rhy agos atynt; ond mae cymaint
o dirweddu ac adfer tir wedi digwydd dros y blynyddoedd
diweddar nes ei bod yn anodd iawn dehongli'r dirwedd
archaeolegol ddiwydiannol sydd wedi ei gadael ar ôl. Yn y 1980au
dechreuwyd rhoi capanau concrit dros rai o'r siafftiau agored,
sy'n ymdebygu i gychod gwenyn, ac mae'r rhain yn britho'r tir,
yn enwedig yn ardal odynau calch Rhes-y-Cae.

Yn eu hadroddiad 'Holywell Common and Halkyn Mountain,
Historic Landscape Characterization' (CPAT Report No. 357,
2000), mae gan Britnell, Martin a Hankinson fynegai
cynhwysfawr o'r holl olion a'r nodweddion archaeolegol ar
Fynydd Helygain. Gan ei fod yn 120 o dudalennau, efallai mai'r
peth doethaf fyddai lawrlwytho neu argraffu'r tudalennau
perthnasol yn unig os ydych am fynd i grwydro. Awgrymaf fod y
mapiau yn werthfawr, ond ar lawr gwlad, mae cynifer o siafftiau
fel ei bod yn anodd iawn adnabod pa siafft yw p'un gydag unrhyw
sicrwydd pendant.

Datblygodd Pentref Helygain yn sgil y gweithfeydd, a'r teulu

Grosvenor o Gaer, a ddaliai'r hawliau mwyngloddio, oedd yn gyfrifol am adeiladu Ysgol Rhes-y-Cae ac am ailgodi Eglwys Helygain yn 1878. Teulu Grosvenor hefyd a adeiladodd Gastell Helygain yn 1824.

Oherwydd yr holl waith mwyngloddio yn ystod y 18fed a'r 19eg ganrif does dim olion archaeolegol pendant wedi goroesi i brofi bod cloddio am blwm yn y cyfnodau cynhanesyddol, Rhufeinig nac yn wir yn y Canol Oesoedd, ond anodd credu na ddigwyddodd hyn. Cawn adroddiadau o hawliau mwyngloddio yn y Canol Oesoedd, felly mae'r dystiolaeth ysgrifenedig yn awgrymu neu'n cadarnhau'r hyn sy'n anweledig yn archaeolegol. Gwyddom hefyd fod plwm wedi ei ddefnyddio yng nghestyll Edward I yn y Fflint a Rhuddlan, felly does fawr o amheuaeth mewn gwirionedd.

Daethpwyd o hyd i ingot Rhufeinig yn 1950 wrth adeiladu ysgol Carmel ger Treffynnon, gyda *C Nipi Ascani* wedi ei naddu arno, sef enw'r mwyndoddwr C Nipus Ascanius, oedd bron yn sicr wedi mwyngloddio a mwyndoddi ar Fynydd Helygain. Yn ogystal, gwelir gweddillion tŷ a baddondy Rhufeinig ar fferm Pentref ger Y Fflint, oedd yn debygol o fod yn gartref i'r swyddog a oruchwyliai'r diwydiant plwm a'r broses o allforio o afon Dyfrdwy. Felly *mae* awgrym o'r hyn a fu ...

Fel yn achos cymaint o ddatblygiadau yn ystod y Chwyldro Diwydiannol, chwaraeodd y Crynwyr ran amlwg yn hanes Mynydd Helygain. Roedd cwmni Quaker Company ymhlith yr arloeswyr cynnar, er iddynt wrthdaro â'r teulu Grosvenor ynglŷn â hawliau mwyngloddio gwythïen Old Rake. O ganlyniad i ddatblygiadau diwydiannol, bu cwmnïau megis y Quaker Company yn gyfrifol am arloesi gyda melinau gwynt a pheiriannau ager er mwyn pwmpio dŵr o'r lefelau.

Yn hwyrach yn y 19eg ganrif cwblhawyd Twnnel Milwr, sy'n ymestyn at yr arfordir ger Bagillt er mwyn draenio'r gweithfeydd plwm ar Fynydd Helygain. Rhed y twnnel o dan y mynydd yr holl ffordd i'r môr, ond mae honno'n stori arall! Amcangyfrifir bod oddeutu 4,700 o olion siafftiau a thyllau wedi eu nodi gan CPAT ar Fynydd Helygain, ond oherwydd y tirweddu bwriadol dros y blynyddoedd ychydig iawn o'r adeiladau diwydiannol sydd wedi goroesi. Yn hyn o beth mae hon yn daith gerdded rwystredig o'i chymharu, dyweder, â thaith gerdded o amgylch y chwareli llechi – ond credaf fod digon o nodweddion yma i gyfiawnhau taith o'r fath ar sail archaeoleg.

Odyn Galch Rhosesmor
Cyfeirnod Map OS: SJ 211688
Ychydig oddi ar lwybr ein taith gerdded mae odyn galch Rhosesmor, sydd wedi ei thacluso a'i hatgyweirio'n ddiweddar, ond mae'n werth taro golwg arni os ydych yn yr ardal. Gwelir yr odyn ar ochr dde'r ffordd fach am Foel-y-crio (Ffordd y Wern), rhwng Rhosesmor a Wern-y-gaer, ac o dan ochr ddeheuol y fryngaer (Ochr-y-foel). O Rosemor, ewch heibio'r eglwys a chadw i'r chwith ar Ffordd y Wern ac fe welwch yr odyn ar y dde.

Adeiladwyd eglwys Sant Pawl, Rhosesmor, yn y 1870au o galchfaen lleol, ac un nodwedd anarferol yw'r talcen crwn (crongafell), felly mae'n werth taro golwg ar yr eglwys wrth fynd heibio.

O'r 17eg ganrif ymlaen daeth yn arferiad i galchu'r tir er mwyn ei felysu, a dyma sydd wrth wraidd y nifer o chwareli calchfaen bychain ac odynau cyfagos yn y rhan yma o Sir y Fflint. Ceir defnydd arall o'r calchfaen lleol yn achos odyn Waun Brodlas, lle cynhyrchwyd calchfaen hydrolig (calchfaen Aberdo) oedd yn addas ar gyfer ei ddefnyddio fel mortar tanddwr. Defnyddiwyd calch Waun Brodlas i adeiladu dociau Lerpwl a Belfast, a phontydd Menai a Runcorn.

Chwarel Pant, chwarel galchfaen
Cyfeirnod Map OS: SJ 198702
Oherwydd yr holl olion archaeoleg diwydiannol ar Fynydd Helygain, mae Cadw wedi ychwanegu'r ardal at Gofrestr Tirweddau o Ddiddordeb Hanesyddol Eithriadol yng Nghymru (1998). Wrth i'r chwarel ehangu yn ddiweddar roedd bygythiad i rai o'r olion archaeolegol, a dylid darllen adroddiad Silvester (2005) am fwy o wybodaeth.

Bydd Chwarel Pant yn amlwg o'ch blaen wrth i chi gerdded o Foel y Gaer.

Odynau Calch Rhes-y-Cae
Cyfeirnod Map OS: SJ 196 709
Adeiladwyd yr odynau yn 1879 a chawsant eu defnyddio hyd at 1914; a'u hadfer yn ddiweddar. Cynlluniwyd yr odynau fel bod modd i geffyl a throl gyrraedd rhan uchaf yr odyn er mwyn gollwng y calchfaen drwy'r tyllau yn y to. Gallwn weld olion y rhodfa ceffyl a throl yn arwain at do'r odynau hyd heddiw – yn aml iawn, adeiladwyd odynau i mewn i ochr bryn er mwyn hwyluso mynediad ceffyl a throl i'r rhan uchaf o'r odyn.

Rheswm arall dros lwyddiant diwydiannol Mynydd Helygain oedd y cyflenwad digonol o lo yn ardal Sir y Fflint. Roedd angen hanner tunnell o lo am bob tunnell o galchfaen ar gyfer y broses losgi er mwyn creu tunnell o galch. Yn aml byddai'r odynau yn llosgi'n barhaol am fisoedd ar y tro gan gyrraedd tymheredd o 1,000°C er mwyn creu'r calch.

Gwelwn hefyd y chwarel gyfagos yn Rhes-y-Cae lle cloddiwyd y calchfaen ag offer llaw. Mae dau fwa'r odyn yn sefyll i uchder o 3 medr.

Odynau calch Rhes-y-Cae

Moel y Gaer, Rhosesmor a Mynydd Helygain

Hyd y daith: cylchdaith bosib o ddwyawr.
Map yr Ardal: OS Landranger 116 / 117
Cyfeirnod Map OS: Moel y Gaer SJ 211690
    Moel y Gaer (tomen gladdu Oes Efydd) SJ 210690
Parcio: ger Berth Ddu (SJ213695) – mae lle i hanner dwsin o geir ar ochr y llwybr am Foel y Gaer.
Graddfa: Cymedrol/anodd. Bydd angen esgidiau cerdded gan fod darnau o'r llwybr yn gallu bod yn wlyb a mwdlyd. Mae'r daith i Foel y Gaer ei hun yn gymharol hawdd.

Man Cychwyn: Dilynwch y B5123 o Helygain am Berth Ddu a Rhosesmor gan yrru heibio i Ysgol Rhos Helyg (ar y chwith) a bydd y troad am Foel y Gaer ar yr ochr dde ar ôl Shones Lane.

Dechreuwch y daith drwy gerdded yn syth yn eich blaen i fyny'r ffordd am 100 llath. Ger y gyffordd am y tŷ fydd o'ch blaen, dilynwch y llwybr i fyny (ar ochr ddwyreiniol Moel y Gaer) gan gadw yn syth ymlaen ar hyd y llwybr glaswellt yma nes i chi gyrraedd yr hen chwarel (ar y chwith). Trowch i'r dde yno am y fynedfa i'r gaer.

Yma, gallwch ddilyn llwybr ar ben clawdd (rhagfur) y gaer gan gerdded cylch cyfan o amgylch y fryngaer a dychwelyd yn ôl at y lle parcio ym Mherth Ddu os dymunwch. O gopa Moel y Gaer mae golygfeydd hyfryd i'r gorllewin tuag at fryngaerau Bryniau Clwyd.

Mae'r domen gladdu Oes Efydd i'w gweld ar ochr orllewinol y gaer ryw 10 medr o'r clawdd.

Os ydych am barhau â'r daith gerdded, cerddwch yn ôl at y clawdd a dilynwch y llwybr glaswellt llydan sydd ychydig i'r gorllewin o'r domen, ac anelwch at y rhes o fythynnod ar waelod y bryn. Mae lliw glas golau i'r bwthyn cyntaf. Cerddwch ar hyd y rhes bythynnod, heibio'r olaf (Bryn Tirion) a chroeswch y cae gan anelu

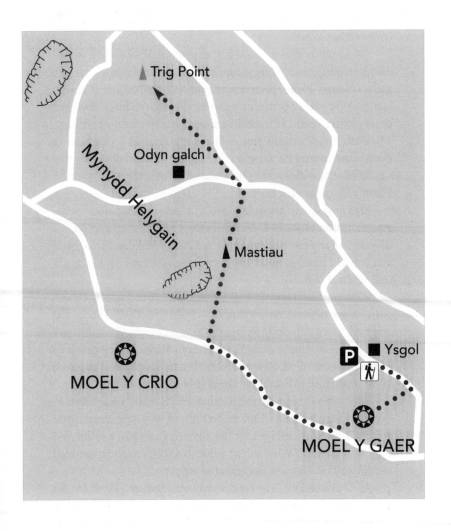

at y ffordd o'ch blaen (Ffordd Wern). Ffordd Wern yw'r ffordd am bentref Rhes-y-cae.

Cerddwch ar hyd y ffordd hyd at arwydd Moel y Crio, wedyn dilynwch unrhyw un o'r llwybrau i'r dde i lawr yr allt dros y cae gan gadw Chwarel Pant, chwarel galchfaen (SJ 198702), ar y chwith gan anelu at y ddau beilon ar y gorwel yn syth o'ch blaen. Bydd yn rhaid croesi'r ffordd i Chwarel Pant er mwyn cyrraedd y peilonau.

Wrth groesi'r caeau yma o Foel-y-crio tuag at y peilonau a'r ffordd am Chwarel Pant, byddwch yn croesi tirwedd ddiwydiannol a bydd olion gweithfeydd a phyllau plwm Berth Ddu, Moel-y-crio a Phant y Go o dan eich traed.

Mae angen i chi anelu at y gilfach barcio ar ben pella'r caeau, croesi'r ffordd chwarel a dringo llwybr i fyny'r bryn, gan gadw'r ddau beilon ar y dde a cherdded ar hyd ffens y peilonau. Yma, bydd modd gweld y peilon nesaf ar y gorwel ger Windmill a bydd angen i chi anelu at hwn.

Wrth gerdded i lawr i'r gogledd-orllewin o'r peilonau byddwch eto'n croesi tirwedd ddiwydiannol – bydd gwaith Old Rake (SJ 204706), hen waith plwm ac arian y Quaker Company o ddechrau'r 18fed ganrif, ac olion y New North Halkyn Mine o'r 19eg ganrif yn frith o dan eich traed. Drwy gadw tai The Catch ar y dde byddwch nawr yn anelu at gyffordd Windmill (ffordd Bron Rodyn).

Yn y gyffordd am Windmill, anelwch yn syth i fyny'r bryn ar lwybr y mynydd a cherdded yr holl ffordd at y Trig Point, sydd 290m yn uwch na lefel y môr (SJ 197716) gan gadw'r peilon (SJ 199716) a phentref Windmill ar y dde. Byddwch nawr yn cerdded heibio siafftiau Mynydd Helygain (SJ 196717).

Ar ôl cyrraedd y Trig Point (Ordnance Survey Trig Point No 3522) anelwch at Odynau Rhes-y-Cae (SJ 196709) (4) sydd ar ochr y ffordd o Res-y-Cae i gyfeiriad Catch a chyffordd Windmill, lle y bu i chi ddechrau cerdded at y Trig Point. Er mwyn cyrraedd yr odyn mae'n rhaid disgyn i lawr o'r Trig Point. Ar waelod yr allt cadwch i'r llwybrau ar y chwith (mae hyn dipyn cyn cyrraedd Rhes-y-Cae). Byddwch yn cerdded heibio mwy o siafftiau ac yn anelu at y ddau beilon o'ch blaen. Cerddwch heibio'r capiau siafft tebyg i gwch gwenyn hyd nes byddwch yn cyrraedd y ffordd. Mae'r odyn o ddau fwa ar y chwith wrth i chi gerdded yn ôl am Catch.

Rhaid dychwelyd ar hyd y ffordd at gyffordd Windmill, ac er mwyn cyrraedd y car ym Mherth Ddu y dewis gorau yw aildroedio'r un llwybr yn ôl, gan anelu at y ddau beilon. Ar ôl cyrraedd y ffordd i Chwarel Pant, gallwch ddilyn y ffordd honno yn ôl at y B5123 a throi i'r dde, a cherdded yn ôl i gyfeiriad yr ysgol gynradd gan gwblhau eich cylchdaith.

Pennod 5
Cerrig Cristnogol

Cyfnod: Canol Oesoedd Cynnar

Maen Achwyfan

Yn ei lyfr *Yn Ei Elfen* mae'r athro Bedwyr Lewis Jones yn rhoi tudalen a hanner i drafod tarddiad, neu ystyr, enw Chwitffordd, sef y pentref rhwng Prestatyn a Threffynnon (dyma'r pentref lle'r oedd cartref yr enwog Thomas Pennant, sef Neuadd Downing). Mae'n debyg mai Chwitffordd sydd yn gywir wedi'r cyfan yn y Gymraeg er i hyn, ar un adeg, arwain at gryn anghytuno ymhlith y trigolion. Dadl Bedwyr oedd bod unrhyw ymdrech i Gymreigio'r enw ymhellach, megis Rhyd-wen, yn anghywir gan fod y gair Normanaidd *Widford* eisoes wedi ei Gymreigio i Chwitffordd.

Fel rwyf yn sôn yn yr atodiad ar Dre'r Ceiri ar ddiwedd y gyfrol, mae enwau llefydd yn faes cymhleth iawn, ac yn un lle mae hi mor hawdd gwneud camgymeriad, felly rwyf am aros yn y maes archaeolegol am weddill y bennod. Trof fy sylw felly at y maen hynod iawn hwnnw sydd ger Chwitffordd o'r enw Maen Achwyfan. Gyda phob ymweliad rydw i'n rhyfeddu at ei faint, y cerfiadau plethog arno (cadwyni cylch a chylchoedd cydgysylltiol) a pha mor wironeddol drawiadol yw'r henebyn yma yn sefyll yn y cae.

Does fawr o debygolrwydd bod unrhyw gysylltiad rhwng Maen Achwyfan a Sant Cwyfan. Cysylltir Sant Cwyfan, er enghraifft, ag eglwys hynafol gymharol agos yn Nyserth, ond mae'n bur debyg bod y seintiau gwreiddiol yn perthyn i gyfnod rai canrifoedd cyn codi'r garreg, felly digon o waith bod unrhyw gysylltiad go iawn. Fe all Maen Achwyfan fel enw olygu 'y maen yng nghae Cwyfan', ond pwy a ŵyr pryd y cafodd y garreg ei henw cyfredol?

Fe soniodd Thomas Pennant fod yr enw 'Stone of Lamentation' yn enw arall ar y garreg, ac o bosib byddai traddodiad lleol am alaru neu wneud penyd ger y garreg yn esbonio hyn; ond unwaith eto annelwig iawn yw tarddiad unrhyw straeon o'r fath.

Yr hyn rydym yn ei wybod yw mai croes Gristnogol yn dyddio o'r 10fed–11eg ganrif sydd yma, ac yn rhyfeddol iawn mae'r groes wedi goroesi yn ei chyfanrwydd. Dyma sy'n ei gwneud mor arbennig. Croes wedi ei llunio o un darn o garreg dywodfaen goch ac yn sefyll 3.4 medr o uchder yw Maen Achwyfan. Mae ei maint yn drawiadol, ond mwy trawiadol byth yw'r cerfiadau plethog a

Maen Achwyfan

chylchog sy'n ymestyn dros ochrau coes y groes. Er bod rhai o'r cerfiadau wedi dirywio drwy fod allan ym mhob tywydd dros y canrifoedd, yn enwedig ar yr ochr orllewinol sy'n wynebu'r elfennau, mae'r patrymau plethog ar y cyfan yn parhau yn amlwg.

Os cewch yr haul yn y lle cywir, mae'r patrymau cerfiedig yn amlwg iawn ac all rhywun ddim peidio â rhyfeddu at gelfyddyd yr holl beth. Ar ben y goes mae croes mewn cylch, ac o ystyried bod y maen yn 3.4 medr o uchder, mae rhywun yn teimlo'n fychan bach wrth ei hymyl. Yng nghanol y groes ar ben y garreg mae chwydd crwn, a disgrifir breichiau'r groes fel petaent yn ymledu neu'n agor am allan gan ymuno â chylch mewnol y groes.

Rhaid cyfaddef nad hawdd yw gweld y cerfiadau o anifeiliaid sydd ar ochr y maen na'r dyn bach ar yr ochr ddeheuol, ond hyd yn oed os yw'r manylion yn anodd eu dehongli, mae rhywun yn dal i gael argraff dda o gelfyddyd yr holl graig yn ystod ymweliad. Mae'r cerfiad o ddyn ar waelod yr wyneb dwyreiniol wedi cael ei ddehongli yn ddyn noeth a'i bengliniau wedi eu plygu, ac yn gafael

Maen Achwyfan yn agos

mewn gwaywffon yn y naill law a bwyell yn y llall. Saif y dyn bach noeth hwn ar ben yr hyn sy'n edrych fel neidr.

Dylid cyfeirio at waith rhai awduron megis Nash-Williams, *The Early Christian Monuments of Wales* (1950), er mwyn cael cyd-destun ehangach ar gyfer y cerrig Cristnogol cynnar. Erbyn hyn, y llyfr hanfodol i'w ddarllen ar gerrig cerfiedig yw un Nancy Edwards, *A Corpus of Early Medieval Inscribed Stones and Stone Sculpture in Wales Volume III, North Wales.*

Mae'r Parchedig Elias Owen, yn 1895, yn cyfeirio at waith rhai fel Edward Llwyd (Lhuyd) yn 1695 ac ymdrechion i greu lluniau cofnodol o Faen Achwyfan, er nad ydynt yn fanwl gywir, yn ôl Elias Owen. Cyhoeddwyd llun Llwyd yn argraffiad Edmund Gibson o *Britannia Camden*, ond o edrych ar y llun gwelwn nad oedd ffigwr y dyn, er enghraifft, yn cael ei gynnwys. Yr hyn sydd yn ddiddorol, hyd yn oed yn 1695, yw bod Llwyd wedi awgrymu cysylltiad rhwng y garreg a'r Llychlynwyr, neu'r '*Danes*' fel y'u galwodd. Stori arall wych gan Elias Owen yw bod Dic Aberdaron wedi llwyddo i ddehongli'r cerfiadau, er nad oes gennym ni syniad pa mor wir neu gywir yw'r stori hon.

Efallai fod y maen yma'n coffáu unigolyn neu hyd yn oed ddigwyddiad arbennig – neu, fel y cynigia Mark Redknap (2000), ei fod yn faen terfyn. Awgrymir bod arddull addurniadol ac eiconograffaidd rhai o'r cerfiadau yn dangos dylanwad Llychlynnaidd, a'r anifeiliad a'r ffigyrau, yn enwedig, yn deillio o fytholeg Lychlynnaidd. Fe all yr arddull addurnol fod yn awgrym o darddiad diwylliannol y gwneuthurwr neu'r noddwr.

Ceir meini tebyg yng ngogledd Lloegr, yn enwedig ar hyd arfordir Môr Iwerddon, Manaw, ardal Caer ac yng ngogledd Cymru, sy'n dangos arddull celf Northumbria ond gyda dylanwadau Llychlynnaidd amlwg megis y nadroedd/anifeiliaid a'r dynion noeth. Gwelwn gerrig tebyg ym Mhenmon, Ynys Môn – awgryma Lynch (1995) fod cerrig Penmon yn perthyn i gyfnod sefydlog Gruffudd ap Llywelyn a bod y cerflunwyr wedi bod mewn cysylltiad agos â cherflunwyr ardal Caer. Eto ym Mhenmon cawn yr arddull Lychlynaidd o gadwyn-gylch ar y maen.

Gan nad oes fawr o dywodfaen yn lleol yn ardal Chwitffordd, mae'n bosibilrwydd cryf bod y garreg hon wedi ei mewnforio o ardal Caer. Ar ôl cymharu'r cerfiadau plethog a'r patrymau ar ddarnau o gerrig tebyg o Meliden a Dyserth, mae Nancy Edwards yn awgrymu bod iddynt yr un nodweddion â Maen Achwyfan. Y tebygolrwydd felly yw bod sawl croes debyg wedi ei chodi yn yr ardal hon yn ystod y 10fed–11eg ganrif.

Credir hefyd bod Maen Achwyfan yn sefyll yn ei man gwreiddiol er ei bod gryn bellter o'r eglwys ganoloesol (Sant Beuno yn wreiddiol) yn Chwitffordd. Mae'r posibilrwydd fod Maen Achwyfan yn sefyll ger hen lwybr neu ffordd sydd bellach wedi diflannu yn un awgrym sy'n esbonio lleoliad y garreg. Yn dilyn gwaith geoffisegol gan David Griffiths (2006) gwelwyd llinell llwybr yn arwain at Faen Achwyfan o gyfeiriad y de, er nad oedd olion o'r llwybr yn parhau ar yr ochr

Rhai o'r patrymau plethog ar Faen Achwyfan

ogleddol. Awgrymodd yr arolwg geoffisegol hefyd fod Maen Achwyfan, o bosib, yn sefyll o fewn lloc crwn. Ond ar hyn o bryd does dim tystiolaeth archaeolegol pendant fod lloc go iawn yno, nac ychwaith bod cysylltiad rhwng y maen ac unrhyw loc.

Mae nifer o domenni claddu o'r Oes Efydd yn agos i safle'r maen, ac efallai y bu hynny'n ffactor yn lleoliad y garreg o fewn tirwedd sanctaidd hynafol. Eto, awgrym yn unig yw hwn, ond yn sicr byddai pwy bynnag a gododd Faen Achwyfan wedi bod yn ymwybodol o'r tomenni (*tumuli*). A oedd awydd felly i leoli'r maen o fewn tirwedd oedd yn amlwg yn bwysig yn hanesyddol?

Ychydig iawn o dystiolaeth bendant sydd i brofi bod y Llychlynwyr wedi ymgartrefu yma yng ngogledd Cymru. Eto, mae tarddiad enwau llefydd fel Kelston, Axton a Linacre yn nwyrain Sir y Fflint yn awgrymu dylanwad Llychlynnaidd; gallai Castell Trefadog ar arfordir gogleddol Môn fod yn safle Llychlynnaidd neu yn un sy'n dangos cysylltiad rhwng tywysogion Gwynedd a'r Llychlynwyr yn Nulyn neu Manaw. Safle arall sydd wedi ei gysylltu o bosibl â'r Llychlynwyr yw Castell Crwn, Cemlyn, eto ar arfordir Ynys Môn. Y rheswm am awgrymu'r cysylltiad hwn yw bod y safle yn hollol grwn ac felly'n nodweddiadol o ddulliau adeiladu caerau neu lociau Llychlynnaidd.

Safle arall sydd o'r un cyfnod yw'r safle caerog ar dir fferm y Glyn ger Llanbedr-goch, ond eto ni allwn fod yn sicr bod y Llychlynwyr wedi ymgartrefu yno – mae'n bosibl mai dangos cysylltiad masnachol ar hyd yr arfordir rhwng y brodorion a'r Llychlynwyr mae'r dystiolaeth archaeolegol. Ond yn sicr, mae safle'r Glyn yn awgrymu bod Llychlynwyr wedi hwylio ar hyd arfordir gogledd Cymru gan feithrin cysylltiadau â'r boblogaeth leol. Gwnaethpwyd gwaith cloddio ar fferm y Glyn gan Mark Redknap o Amgueddfa Genedlaethol Cymru.

Sgwn i, felly, a yw'r dylanwad Llychlynnaidd ar Faen Achwyfan a cherrig Meliden a Dyserth yn awgrymu fod Llychlynwyr wedi byw yma ar un adeg? Byddai'n ddifyr iawn cael gwybod. Gwyddom fod y Llychlynwyr wedi ymgartrefu yng Nghilgwri ac ar Lannau Mersi, ond beth am ochr orllewinol afon Dyfrdwy? Yn sicr mae Cilgwri a Glannau'r Mersi yn ddigon agos i ardal Chwitffordd o ran gwneud cysylltiadau, ac yn sicr mae'r ffaith fod Chwitffordd mor agos at yr arfordir yn esbonio sut yr oedd modd trosglwyddo a rhannu syniadau neu ddylanwadau.

Fel y gwelwn mor aml gydag archaeoleg, mae mwy o gwestiynau nag o atebion, ond dydi hynny ddim yn amharu am eiliad ar y pleser o ymweld â Maen Achwyfan. Mentraf awgrymu hefyd ei bod yn werth ymweld â Maen Achwyfan fwy nag unwaith gan fod lleoliad yr haul mor bwysig os ydych am geisio tynnu lluniau effeithiol a boddhaol o'r cerfiadau.

Digon anodd hefyd yw cael lle i barcio'r car gan fod yma gyffordd ar ffordd ddigon cyflym. Rhaid gadael y car ar y tro gyferbyn a'r giât mochyn sydd yn arwain at yr henebyn, a rhaid croesi rhan o'r cae wedyn at y groes – does dim llwybr pwrpasol.

Carreg Rosteece, Carreg fedd Gristnogol, Llanerfyl

Cyfnod: 5ed–6ed ganrif
Cyfeirnod Map OS: 125 SJ 034097

Mae carreg Rosteece i'w gweld yn erbyn y wal orllewinol yng nghefn Eglwys Llanerfyl, er iddi fod allan yn y fynwent o dan goeden ywen tan ddechrau'r 20fed ganrif. Carreg fedd o'r 5–6ed ganrif yw hon gydag ysgrifen arni: *'Hic in tumulo iacit Rosteece filia paternini annis xiii in pace'* (Yma yn y bedd gorwedd Rosteece, ferch Paterninus oed 13 mewn hedd). Dylanwad Rhufeinig sydd i'r garreg er bod cofnodi oed yn beth anarferol iddynt hwy. Gwelwn y geiriau *'hic iacit'*, sef 'yma

Carreg Rosteece

83

gorwedd', ar y cerrig Cristnogol cynnar yma a dyna, wrth reswm, sy'n dynodi mai cerrig beddau ydynt.

Mae cerrig beddau o'r cyfnod yma yn nodweddiadol: cerrig amrwd gan amlaf, gydag ysgrifen yn Lladin yn cofnodi man gorwedd rhywun wedi ei cherfio arni. Cawn enghreifftiau da o gerrig o'r fath yn Eglwys Sant Tudclud, Penmachno (SH 790 506), Cerrig Anelog yn Eglwys Sant Hywyn, Aberdaron (SH 173 263) a Charreg Trallong yn Eglwys Dewi Sant, Trallong yn Nyffryn Gwy ger Aberhonddu (SN 966 296). Gwelir enwau'r ddau offeiriad ar gerrig Anelog, er enghraifft, Veracius a Senacus, ac ar garreg Melus yn Llangian, Llŷn, cawn wybod mai meddyg oedd Melus: '*Meli Medici* ... *Iacit*'.

Ar garreg Trallong cawn ysgrif Ogam, sef yr wyddor Wyddelig, yn ogystal â'r Lladin yn datgan mae hon yw carreg Cunacennivus Ilvvetos. Mae llawer mwy o gerrig ac ysgrif Ogam yn ne-orllewin Cymru, yn enwedig Sir Benfro a de Ceredigion, sydd efallai yn awgrymu mwy o fewnfudo o Iwerddon i'r ardal honno yn y cyfnod ôl-Rufeinig nag efallai a welwyd yng Ngwynedd.

Llun Gutyn Padarn o Garreg Rosteece

Prin iawn yw'r cerrig Ogam yng Ngwynedd, ond carreg Icorix, yn Llystyn Gwyn ger Dolbenmaen, yw un o'r enghreifftiau enwocaf (SH 482 455). Nash-Williams, yn ei gampwaith *The Early Christian Monuments of Wales*, sy'n bennaf cyfrifol am ddod â'r meini hyn i sylw'r genedl, ac yn 1950 cafwyd disgrifiad manwl ganddo o garreg Rosteece. Yn y disgrifiad hwnnw dywed Nash-Williams mai yn yr arddull Rufeinig mae'r ysgrifen arni, ond awgryma hefyd fod yr 'E' ar y bedwaredd linell yn ysgafnach na gweddill enw Rosteece, ac efallai felly wedi ei cherfio gan law rhywun arall, yn ddiweddarach o bosibl. Awgryma hefyd fod yr 'Hic in tummulo iacit' yn ffurf estynedig o'r arferol 'Hic iacit' sef 'yma yn y bedd gorwedd', ond bod y ddwy ffurf yn perthyn i'r traddodiad Cristnogol-Rufeinig.

Ceir ysgrifau tebyg gyda'r ffurf estynedig yn yr Eidal yn dyddio o'r 4edd ganrif, a mabwysiadwyd yr arddull yma wedyn yng Ngâl, Gogledd yr Affrig ac i raddau llai yn Sbaen yn ystod y 5ed a'r 6ed ganrif.

Yma yng Nghymru cawn ambell enghraifft arall o'r 'Hic iacit' estynedig, er enghraifft ar Garreg Anniccius yn Aber-car rhwng Merthyr ac Aberhonddu, a hefyd ar Fedd Porius ger Rhiw Goch, Trawsfynydd. Anarferol iawn yng Nghymru yw cofnodi oedran yr unigolyn, a dyma un rheswm pam mae Carreg Rosteece yn un mor arbennig.

Disgrifiwyd y garreg yn *Archaeologia Cambrensis* yn 1932 hefyd, lle cyfeirir ati fel 'Carreg Rustica', a chawn wybod bod y garreg wedi arfer sefyll yn y fynwent o dan goeden ywen i'r de o'r eglwys cyn cael ei gosod yn ei safle presennol yn 1915. Effaith y gwynt a'r glaw sy'n esbonio pam mae'r garreg wedi gwisgo cymaint: *'A constant drip of rainwater, in the course of centuries, furrowed a groove upon the inscribed surface.'*

Gwelir y cyfeiriad ysgrifenedig cyntaf at y garreg yn 1698/9 mewn llythyr gan Edward Llwyd, ac mae ef hefyd yn nodi bod y garreg yn sefyll o dan yr ywen.

Yn y Gymraeg gall Paterninus neu Paternus olygu Padarn, ond mewn gwirionedd does dim i gysylltu'r garreg hon â Sant Padarn er bod Erfyl i fod yn ferch i Padarn, ac er bod chwedl leol yn cyfeirio at y garreg fel Carreg (Santes) Erfyl. Gan fod yr eglwys wedi ei chysegru i Erfyl, hawdd deall sut datblygodd y stori, ond y tebygolrwydd yw bod Rosteece a'i thad, Paterninus, yn drigolion lleol gweddol gefnog i haeddu carreg fedd fel hon.

O droi at Eglwys Llanerfyl ei hun i gloi, o ran nodweddion pensaernïol ychydig iawn sydd ar ôl o'r eglwys wreiddiol heblaw'r fedyddfaen a rhai o gyplau pren y to (*arched braced roof trusses*), sy'n dyddio o oddeutu 1400 oed Crist, gan i'r eglwys gael ei hailadeiladu yn 1870.

Croes Meifod

Ceir y garreg siâp croes hon yn erbyn wal y capel deheuol y tu mewn i eglwys Meifod, eglwys sydd wedi ei chysegru i'r seintiau Gwyddfarch, Tysylio a'r Santes Fair. Cysegrwyd yr eglwys i'r Santes Fair yn 1156, ac awgrymir bod y ddau fwa 'Normanaidd' (*Romanesque*) gyferbyn â'r fynedfa yn dyddio o'r cyfnod yma. Fel yn achos y mwyafrif o eglwysi, mae adeiladwaith yr eglwys yn dyddio o wahanol gyfnodau, ond mae rhan helaeth ohoni yn dyddio o'r 15fed ganrif gyda rhai ychwanegiadau o'r cyfnod Fictoraidd. Mae'n ddifyr nodi bod maint y fynwent, sy'n 9 erw, yn amlwg yn anarferol iawn.

Croes Meifod

Rydym yn ardal tywysogion Powys, ac awgryma rhai bod yr adeilad sy'n dyddio o'r 12fed ganrif wedi ei adeiladu gan Madog ap Meredydd (marw 1160), tywysog olaf Powys gyfan. Mae hefyd awgrym iddo gael ei gladdu yma yn eglwys Meifod. Cwestiwn amlwg, er nad oes ateb iddo, yw pwy yn wir a gafodd ei gladdu o dan y garreg siâp croes sydd i'w gweld yma heddiw. Ai darn o gaead bedd un o dywysogion cynnar Powys oedd y garreg hon? Yn sicr, byddai pwy bynnag sy'n gorwedd o dan y garreg yn berson pwysig o fewn ei gymdeithas.

Mae'r groes ar y garreg yn un drawiadol tu hwnt, yn llawn addurn ac yn dangos sawl dylanwad gwahanol. Cawn ffigwr Crist, er ei fod yn un amrwd iawn, o fewn cylch a hynny wedyn yn gorwedd ar ben croes mewn arddull Ladin. Y naill ochr i'r cylch cawn addurniadau, ac yn ôl Burnham *et al*, mae'n bosibl mai dylanwad Merofingaidd (sef ardal Gâl – Ffrainc a rhannau o'r Almaen heddiw) o'r 8fed ganrif sydd i'w gweld ar y garreg, yn ogystal â dylanwadau Llychlynnaidd a Gwyddelig.

Wrth edrych yn ofalus ar ffigwr Crist, mae'n debyg mai ar y groes y mae Crist, a'i freichiau'n ymestyn allan, a chawn awgrym fod hoelion yn mynd trwy ei ddwy law a'i draed. Ond ffigwr bach doniol iawn yw hwn – does dim awgrym o wisg iddo, ac mae'n edrych yn debyg iawn i ddyn bach o'r gofod!

Crist ar y groes, Carreg Meifod

Yn ôl Nash-Williams mae'r cylch ar y garreg yn y dull Maltaidd, a chawn bedwar smotyn rhwng pob braich o'r groes.

Awgryma hefyd fod y ddelwedd o Grist yn debyg i arddull croesau Gwyddelig. Hawdd yw sylwi fod y groes wedi torri tua'r hanner isaf, a bod gwaith atgyweirio wedi ei wneud iddi â choncrit. Mae clymau plethog ar gorff y groes, ond prin y gall unrhyw un ddadansoddi hynny ar ddarn isaf y groes gan fod ei chyflwr mor ddrwg.

Anghyson, rywsut, yw'r holl addurniadau ar y groes. Does fawr o gydbwysedd symetrig yma, a chawn yr argraff fod sawl dylanwad wedi ei gynnwys arni. Sgwn i yw rhai o'r rhain yn ychwanegiadau dros gyfnod o amser, ynteu a yw'r holl beth yn un cyfanwaith cyfoesol?

Patrymau

Mae'n debygol, a dyna yn sicr yw awgrym Nash-Williams, fod y cerflunydd penodol yma (a oedd o bosib yn lleol o ganolbarth Cymru) wedi addasu'r dylanwadau Merofingaidd (Ewropeaidd), ac yn hytrach na defnyddio'r delweddau o anifeiliaid ac adar egsotig arferol dewisodd fwy o ddylanwadau Celtaidd, sef y stribedi plethog, y clymwaith Llychlynnaidd a'r ffigyrau a gysylltir â chymysgedd o ddylanwad Celtaidd a Llychlynnaidd.

Mae'r dylanwadau Llychlynnaidd ar y groes yn bwysig gan eu bod yn rhoi modd i ni awgrymu dyddiad i'r cerfiadau, ac er bod y dylanwad gwreiddiol yn un Merofingaidd o'r 8fed ganrif, y tebygolrwydd yw bod y garreg ei hun wedi ei cherfio yn ystod y 9fed neu yn gynnar yn y 10fed ganrif. Rhaid derbyn mai rhoi cynnig ar ddyddiad bras yw hyn.

Yn ôl adroddiadau o 1829, roedd y garreg yn gorwedd yn y llawr ger y fedyddfaen a symudwyd hi i'w safle presennol yn 1838. Roedd straeon yn datblygu am y garreg erbyn diwedd y ganrif honno, ac yn ôl Frances Ward, sydd wedi ymchwilio i hanes yr eglwys, bu i weithwyr weld bedd 'urddasol' o dan y garreg – un oedd yn addas ar gyfer tywysogion Powys – a dyna danio fflam y straeon yn syth. Mae archaeolegwyr bob amser yn amheus o ddisgrifiadau Fictoraidd sy'n defnyddio geiriau fel 'urddasol'. Beth ddigwyddodd i weddill y bedd felly – a oedd unrhyw weddillion neu wrthrychau yn y bedd, ac a oes modd credu stori'r gweithwyr?

Pan adeiladwyd mynachlog Ystrad Marchell ddiwedd y 12fed ganrif ar gyrion y Trallwng, daeth diwedd ar gyfnod Eglwys Meifod fel canolfan bwysig ym Mhowys, ond mae hynodrwydd y groes garreg yn denu ymwelwyr yno hyd heddiw.

Patrymau

Carreg Carno, Eglwys Sant Ioan, Carno

Carreg groes Carno yn yr eglwys

Darganfuwyd y garreg hon, sy'n mesur 1.5m o uchder, yn 1960 pan oedd yn cael ei defnyddio fel postyn giât yng nghyffiniau Capel Peniel, Carno (Adeilad Rhestredig Gradd II), ac yn wir mae'r tyllau giât i'w gweld yn glir ynddi hyd heddiw. Go brin, gan fod y garreg wedi ei symud er mwyn ei hailddefnyddio yn bostyn giât, y cawn byth wybod lleoliad gwreiddiol y garreg. Bellach (ers rhywbryd cyn 1964) mae hi'n saff y tu mewn i Eglwys Carno.

Yr hyn sy'n anarferol am y groes o fewn cylch ar y garreg yw bod y cylch a'r groes wedi eu ffurfio drwy eu cnocio (*punched* yn Saesneg) yn hytrach na'u cerfio i'r garreg. Wrth edrych yn ofalus ar y groes gallwn weld fod breichiau'r groes a'r cylch amgylchol wedi eu creu o dyllau crwn unigol wedi eu gosod yn agos i'w gilydd er mwyn creu'r siâp. Yn wahanol i effaith cerfiad, mae ffurf y cylch, o ganlyniad, yn llai perffaith. O ran arddull, awgrymir dyddiad rywbryd yn ystod y 7fed neu'r 8fed ganrif i'r garreg hon.

Mae nodweddion eraill y tu allan i Eglwys Ioan Fedyddiwr a

Golwg agos ar groes Carno

all fod o ddiddordeb i'r ymwelydd. Yn y fynwent mae carreg fedd yr arloeswraig a'r cynllunydd dillad, Laura Ashley (1925–1985). Mae hen ffatri Laura Ashley yng Ngharno i'w gweld wrth deithio ar hyd yr A470. Mae un o fy hoff straeon am Laura Ashley yn ymwneud â'i merch hynaf, Jane. Roedd Jane yn astudio yn Ysgol Gelf Chelsea yn y 1970au ac yno daeth i adnabod aelodau o'r grŵp pync The Clash a Viv Albertine o'r Slits. Bu Jane yn gyfrifol am ddelwedd cwmni Laura Ashley yn ystod y 1970au hwyr a'r 1980au, a pherswadiodd Viv i fodelu gwisgoedd Laura Ashley, a thynnu ei llun yn sefyll hefo Mick Jones a Paul Simenon o'r Clash, y ddau yn eu dillad *rock'n'roll*. Rhaid bod y pyncs ifanc yn brin o arian ar y pryd – a does dim rhaid dweud na fu defnydd helaeth o'r delweddau rhag dychryn cwsmeriaid arferol Laura Ashley!

I'r gorllewin o'r fynwent, yn y cae drws nesa, gwelwn olion y gaer Rufeinig Caer Noddfa, er nad oes fawr mwy nag ychydig o gloddiau isel iawn, iawn i'w gweld bellach (Cyfeirnod Map OS Landranger 136: SN 962 965). Er bod rhyw gymaint o gloddio archaeolegol wedi bod yma yn 1909, 1964 ac 1965, does neb wedi gallu datrys yn union beth yw'r safle. Cafwyd hyd i ffos siâp V wrth gloddio, sy'n nodweddiadol iawn o gyfnod yr Oes Haearn, a chan fod y 'gaer' yn lled hirsgwar awgrymir bod hynny'n arwydd o gaer Rufeinig. Mae stori leol mai safle hosbis ganoloesol ydoedd, ac yn wir darganfuwyd llestri pridd yno o'r 14eg –15fed ganrif, ac olion o adeilad o garreg yn ystod cloddiad 1964/65. Felly, mae'n debygol bod defnydd aml gyfnod i'r caeau yma.

Cerrig Cristnogol

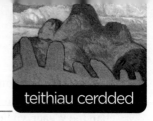

Maen Achwyfan (Croes Gristnogol), Chwitffordd

Map yr ardal: OS Landranger 116
Cyfeirnod Map: SJ 297788
Man cychwyn: Rhaid wrth fap OS er mwyn dod o hyd i Faen Achwyfan ar y lonydd bach rhwng Chwitffordd a Berthengam. Dewch oddi ar yr A55 ger cyffordd Caerwys a dilynwch yr arwyddion am Chwitffordd (Whitford) ar yr A5151. Yn yr ail gylchfan ewch yn syth ymlaen a chadwch i'r chwith wrth i'r ffordd fforchio o'ch blaen. Yn y gyffordd nesaf trowch i'r dde a bydd Maen Achwyfan ar eich llaw chwith ger y gyffordd tair ffordd nesaf ymhen rhyw ¼ milltir.

Carreg Rosteece, Carreg fedd Gristnogol, Llanerfyl

Map yr ardal: OS Landranger 125
Cyfeirnod Map: SJ 034097
Man cychwyn: Mae carreg fedd Rosteece yn yr eglwys yn Llanerfyl. Mae'r allwedd ar gael gan Gwyndaf James yn y garej.

Croes Meifod

Map yr ardal: OS Landranger 125
Cyfeirnod Map: SJ 155132
Man cychwyn: Mae'r groes i'w gweld yn yr eglwys ym Meifod, sydd ar agor yn ddyddiol.

Carreg Carno, Eglwys Sant Ioan, Carno

Map yr ardal: OS Landranger 136
Cyfeirnod Map: SN 963964
Man cychwyn: Byddwch angen allwedd i'r eglwys.

Pennod 6
Clawdd Offa, Clawdd Wat a Chlawdd Chwitffordd

Cyfnod : 8fed Ganrif

For a hundred years the Mercians built 'short dykes' as and when circumstances required in the Central March. Towards the close of this phase of activity the idea of a continuous bank-and-ditch frontier was conceived, and put into practice in the geographically well defined northern sector between the upper Severn and Dee estuary.

Sir Cyril Fox.

Offa oedd brenin teyrnas Eingl-Sacsonaidd Mersia rhwng 757 a 796 oed Crist – ardal sydd heddiw yn cyfateb i ganolbarth Lloegr – gyda'i bencadlys bryd hynny yn nhref Tamworth. Oherwydd bod Clawdd Offa yn hanesyddol yn gyfystyr â'r ffin rhwng Cymru a Lloegr, mae enw Offa yn gyfarwydd iawn i ni fel Cymry heddiw, ond petai Offa erioed wedi adeiladu ei glawdd, go brin y byddai ei deyrnasiad o fawr o ddiddordeb i ni yma yng Nghymru. Er iddo ehangu dipyn ar dirwedd Mersia yn ystod ei deyrnasiad, y farn gyffredinol ymhlith haneswyr yw mai awch am fwy o rym oedd hyn yn hytrach nag unrhyw ymdrech neu weledigaeth wleidyddol i uno 'Lloegr'.

Erbyn heddiw mae llawer mwy o drafodaeth (ac ansicrwydd) archaeolegol ynglŷn â Chlawdd Offa – faint o'r clawdd y gallwn ei briodoli mewn gwirionedd i deyrnasiad Offa, ac yng ngogledd-ddwyrain Cymru rydym bellach wedi adnabod tri chlawdd gwahanol: Offa, Wat a Chwitffordd. Mae cloddiau Wat a Chwitffordd yn bell o fod yn enwau cyfarwydd y tu allan i'r maes archaeoleg arbenigol.

Y farn gyfredol yw bod darnau o'r hyn a elwir ar y mapiau OS yn 'Glawdd Offa' ger Trelawnyd, Sir y Fflint, yn glawdd hollol wahanol i'r un a adeiladwyd gan Offa – hynny yw, o wneuthuriad gwahanol – a heddiw cyfeirir at y darn yma o glawdd gan archaeolegwyr fel Clawdd Chwitffordd.

Ychydig iawn rydym yn ei wybod yn iawn am hanes Clawdd Offa, a llai byth am hanes Clawdd Wat. A dweud y gwir, does neb mewn gwirionedd yn hollol siŵr ai cyn ynteu ar ôl cyfnod Offa y cafodd Clawdd Wat ei godi. Yn y bennod yma rwyf am ganolbwyntio ar y dystiolaeth archaeolegol sydd ar gael am y tri chlawdd, Offa, Wat a Chwitffordd, ond ofnaf y byddaf, unwaith eto, yn gorffen gyda mwy o gwestiynau nag o atebion.

Yn ogystal â chloddiau Offa, Wat a Chwitffordd, mae'n werth cyfeirio hefyd yn sydyn at y cloddiau a'r ffosydd byrion neu'r *short ditches* sy'n nodweddion o'r cyfnod yma ar y dirwedd, sef rhywbryd yn ystod y 7fed a'r 8fed ganrif. Ond eto, oherwydd absenoldeb tystiolaeth dyddio, fe all fod rhai o'r cloddiau wedi eu codi yn hwyrach yn y Canol Oesoedd. Does dim modd dweud yn sicr. Ceir nifer o enghreifftiau o'r cloddiau/ffosydd byrion hyn yn ardal Ceri, Tre'r Clawdd a Maesyfed yn y canolbarth, ac mae'r rhain ar yr ochr orllewinol i Glawdd Offa (gweler y cyfeirnodau map OS ar ddiwedd y bennod).

Gan eu bod yn gloddiau/ffosydd byrrach, ac yn aml yn llai sylweddol na Chlawdd Offa, mae cryn ddadlau a yw'r rhain yn ffiniau lleol neu ranbarthol (cloddiau terfyn) neu, hyd yn oed, yn amddiffynfeydd yn erbyn y Cymry ar adegau cythryblus. Y tebygolrwydd, beth bynnag eu pwrpas llawn, yw bod y cloddiau/ffosydd yma yn diwallu anghenion lleol, ac yn wahanol felly i Glawdd Offa a oedd yn dynodi'r ffin rhwng y ddwy bobl, neu yn sicr y teyrnasau gwahanol, dros ardal lawer ehangach. Rhaid cofio hefyd nad oedd cysyniad cryf bryd hynny o Gymru fel rydym yn ei hadnabod heddiw – doedd 'Cymru' yn ddim ond clytwaith o deyrnasau unigol fel Gwynedd a Phowys.

Mewn gwirionedd, go brin fod y cloddiau byrion yn fawr o rwystr i'r Cymry petai anghydfod yn codi, ond gan fod y cloddiau yn aml yn dilyn ochrau bryniau a nodweddion naturiol fel nentydd, mae'n amlwg fod bwriad yma i ddynodi ffiniau neu berchnogaeth tir. Y tebygolrwydd yw bod y cloddiau wedi eu codi dros gyfnod o amser, efallai mewn gwahanol gyfnodau gan wahanol bobl ac ar gyfer aml bwrpas. Rhaid derbyn am y tro, felly, ein diffyg gwybodaeth ynglŷn â'r henebion yma yn y gobaith y bydd cyfleoedd yn codi i wneud mwy o archwilio archaeolegol arnynt yn y dyfodol.

Clawdd Offa

Yn ei lyfr *Life of King Alfred* mae Asser, Cymro a oedd yn ysgrifennu yn Lladin yn y 9fed ganrif, yn cyfeirio at Glawdd Offa fel un a oedd wedi ei adeiladu 'o'r môr i'r môr':

> Rex nomine Offa qui vallum magnum inter Britannia matque Merciam de marius que ad mare facere imperavit.

Yr hyn sy'n sicr yw bod Clawdd Offa yn un o'n henebion mwyaf trawiadol ar ynysoedd Prydain, ac yn un sydd wedi cael effaith seicolegol arnom ni fel Cymry oherwydd y cysylltiad hanesyddol iddo fel ffin rhwng Cymru a Lloegr. Rydym yn dal i sôn am 'groesi Clawdd Offa' wrth deithio i Loegr, er nad yw olion y clawdd ei hun ddim bob amser mor amlwg â hynny wrth wneud y daith. Dyma'r henebyn hiraf yn Ewrop, a'r farn archaeolegol gyfredol yw bod 129 cilomedr o Glawdd Offa yn weddill.

O edrych ar fapiau o Gymru sy'n dangos Clawdd Offa, mae'r

Clawdd Offa ger Ffordun

95

darnau mwyaf sylweddol rhwng Treuddyn, Sir y Fflint, a Rushock Hill yn Swydd Henffordd. Un o'r cwestiynau mawr ynglŷn â Chlawdd Offa yw beth yn union oedd yn digwydd yn y gogledd-ddwyrain yn ardal Prestatyn, felly hefyd yn ardal Swydd Henffordd, oherwydd absenoldeb clawdd amlwg yno. Gan mai ychydig iawn o olion y clawdd sydd yn Swydd Henffordd i'r de o Rushock Hill, awgrymir bod yr ardal hon yn fwy sefydlog yn wleidyddol, ac efallai felly fod llai o angen clawdd nag ar hyd y ffin â Phowys. Gwelir ychydig ddarnau trawiadol o Glawdd Offa ar ochr ddwyreiniol afon Gwy ger Pulpud y Diafol, Tyndyrn, i'r gogledd o Gas-gwent.

Ai darnau o afon Gwy oedd y ffin felly yn y de-ddwyrain, a bod dim angen am glawdd? Ond tydi hyn ddim yn llwyr esbonio absenoldeb y clawdd i'r de o Rushock Hill hyd at Ddyffryn Gwy chwaith. Cawn sefyllfa debyg, o bosibl, yn Nyffryn Hafren ger y Trallwng lle'r oedd yr afon yn ddigon o ffin heb yr angen am godi clawdd o bridd.

Roedd Thomas Pennant yn sôn fod y clawdd yn dod i ben ger Capel Treuddyn yn y gogledd-ddwyrain. Felly sut mae gwahaniaethu rhwng cloddiau Offa, Wat a Chwitffordd, a beth yw'r farn am wahanol ddarnau o Glawdd Offa? Efallai nad oedd Clawdd Offa, fel clawdd o bridd, o reidrwydd yn ymestyn 'o'r môr i'r môr' felly, fel yr awgrymodd Asser.

Fel gyda chymaint o olion archaeolegol, rhaid derbyn bod llawer nad ydym yn ei wybod. Erys y cwestiwn, beth yw'r berthynas rhwng cloddiau Offa, Wat a Chlawdd Chwitffordd yn y gogledd-ddwyrain? Pa glawdd a adeiladwyd gyntaf? Awgryma Helen Burnham (1995) fod dadleuon digon rhesymol i awgrymu bod Clawdd Wat wedi ei adeiladu yn gynharach nag un Offa, ond bod, yn ogystal, ddadleuon yr un mor rhesymol i awgrymu bod Clawdd Wat yn ddiweddarach na Chlawdd Offa.

Yn achos yr ardaloedd hynny lle nad oes awgrym o godi Clawdd Offa yn y gogledd-ddwyrain, gall hyn awgrymu fod Clawdd Wat yno yn barod fel amddiffynfa neu ffin, fel nad oedd angen am ail glawdd.

Yn *Hanes Cymru* mae John Davies i'w weld o'r un farn â Cyril Fox fod Clawdd Wat yn perthyn i gyfnod Aethelbald (716-757) ac felly yn gynharach nag Offa.

Y ddadl o'r safbwynt arall, sy'n cael ei chydnabod gan Burnham, yw bod clawdd Wat yn hwyrach gan fod yr adeiladwaith a'r gwneuthuriad yn well, a bod gwersi wedi eu dysgu ers adeiladu Clawdd Offa. Yn archaeolegol does dim modd profi'r un ddamcaniaeth na'r llall ar hyn o bryd. Rhaid fyddai cael dyddiadau radiocarbon pendant o sawl cyd-destun ac o wahanol ddarnau o bob clawdd i fedru gwneud cymhariaeth wyddonol a chywir.

Pa ddiben cael y ddau glawdd, Offa a Wat, yn yr un ardal oni bai eu bod o wahanol gyfnodau? Mae Clawdd Wat i'r dwyrain o Glawdd Offa. Os ydym am dderbyn y ddadl fod y cloddiau yma yno i warchod a diffinio'r ffin rhwng Lloegr a Chymru, a oes unrhyw siawns fod y ffin wedi symud ychydig filltiroedd yn y cyfnod rhwng adeiladu'r ddau glawdd? Rhed Clawdd Wat am tua 40 milltir o ardal Treffynnon hyd at Masebury ger Croesoswallt.

Rydym yn weddol gytûn fod Clawdd Offa yn gallu cyflawni dau bwrpas, sef fel ffin amddiffynnol a gweinyddol rhwng Lloegr a Chymru. Cryfhawyd y ddadl ynglŷn â'r elfen amddiffynnol gan fod y ffos bob amser ar yr ochr orllewinol, ochr Cymru, i'r clawdd. Dyma'r sefyllfa hefyd hefo ffos Clawdd Wat, er nad yw'r clawdd ei hun yn ymestyn mor bell â Chlawdd Offa ar hyd y ffin rhwng Cymru (Powys yn achos Clawdd Wat) a Mersia.

Cyfnod Offa yw 757–96 oed Crist, ac awgryma Burnham fod siawns go dda fod ei glawdd yn dyddio o'r cyfnod ar ôl 784 pan oedd Offa wedi sefydlogi ei rym ym Mersia. Un ffaith arall y cytunir arni yw bod y ffiniau yma (Offa a Wat) i bob pwrpas wedi gwahanu'r Cymry ar y tir uwch oddi wrth yr iseldiroedd i'r dwyrain, sef y tir amaethyddol gwell, ac yn ei hanfod roedd y ffin yn ardal ansefydlog yn wleidyddol. Felly yn sicr byddai'r clawdd wedi rheoli neu gyfyngu ar symudiadau pobl ac anifeiliaid yn ogystal â chynnyrch amaethyddol.

Pa effaith gafodd hyn oll ar seicoleg y Gymru Ganol Oesol? Mae'n rhaid bod diffinio'r ffin rhwng teyrnasoedd gogledd Cymru a Mersia, hyd yn oed os oedd hynny drwy gytundeb neu ddealltwriaeth rhwng y tywysogion Cymreig a brenhinoedd Mersia, wedi cael effaith. Fel yr awgryma John Davies yn *Hanes Cymru*, 'Dichon i fodolaeth Clawdd Offa ddyfnhau'r gydymwybyddiaeth Gymreig ...'.

Clawdd Offa ger Castle Mill, Y Waun

Awgryma John Davies fod rhyw fath o ddealltwriaeth wedi bodoli ar adegau rhwng tywysogion Powys a'r Mersiaid o safbwynt ble oedd y clawdd yn cael ei osod. Er enghraifft, yn ardal Trelystan ger y Trallwng cadwyd y caeau amaethyddol ffrwythlon ar ochr Cefn Digoll gan y Cymry, a bryngaer Penygardden ger Rhiwabon gan un o ddisgynyddion Eliseg, tywysog Powys. Felly hefyd yng Ngwent, lle adeiladwyd y clawdd (os yw hwn yn rhan o'r un cyfanwaith) ar ochr ddwyreiniol afon Gwy gan adael defnydd o'r afon dan reolaeth tywysogion Gwent. Felly hefyd y porthladd ar benrhyn Beachley.

Os mai tywysogion Powys oedd y bygythiad mwyaf i Mersia a bod ardal Swydd Henffordd yn llawer mwy sefydlog, efallai fod llai o angen clawdd yn y de-ddwyrain.

Archaeoleg Clawdd Offa

Cyril Fox wnaeth y gwaith mawr o astudio Clawdd Offa yn ystod y 1920au. Yn ei adroddiad cyntaf yn 1926 mae Fox yn datgan, 'the need for careful survey of the Dyke is urgent,' ac un o gwestiynau pwysicaf Fox oedd a yw'r clawdd yn deillio o un cyfnod o adeiladu ac wedi ei godi i amddiffyn neu ddiffinio ffin, ynteu'r ddau? Sylweddolodd Fox y byddai angen cloddio archaeolegol os oedd am sicrhau dyddiadau pendant ar gyfer y clawdd. Bu Fox yn cloddio yn ystod 1925 yn ardal Ysgeifiog er mwyn ceisio cadarnhau maint a dyfnder y ffos, er ei bod yn bur debygol mai Clawdd Chwitffordd, yn hytrach nag un Offa, oedd hwn heb yn wybod i Fox ar y pryd.

Doedd Fox ddim ychwaith am osgoi'r cwestiwn ynglŷn â pherthynas Clawdd Offa a Chlawdd Wat, sy'n rhedeg yn gyfochrog ychydig filltiroedd i'r dwyrain. Mae darnau sylweddol ac amlwg o Glawdd Offa yn rhedeg o ardal Treuddyn tuag at Goed-poeth ger Wrecsam, ac wedyn ychydig filltiroedd yn unig i'r dwyrain ac yn gyfochrog, gwelwn Glawdd Wat yn rhedeg o'r Hob, heibio i Wrecsam am Riwabon.

Barn Fox yw bod y clawdd (Offa) yn adeiladwaith gweddol gyson a'r ffos bob amser i'r gorllewin, ond yn ardal Treuddyn a Llanfynydd sylweddolodd Fox fod tyllau chwarel (*quarry hollows* neu *quarry scoops*) yn gorwedd i'r dwyrain o'r clawdd. Rhaid bod ar adeiladwyr y clawdd angen mwy o bridd ac wedi cloddio tyllau neu chwareli bychain am ddeunydd lle'r oedd angen. Mae hyn yn beth cyffredin iawn ar hyd ffyrdd Rhufeinig, er enghraifft, lle'r oedd angen cerrig ar gyfer wyneb y ffordd (sef y darn wedi ei godi, y *sarn* neu'r *ager*). Awgryma Fox yn ogystal fod llinell y clawdd yn aml wedi cael ei dewis yn fwriadol er mwyn yr olygfa dros y dirwedd i'r gorllewin, gan ddefnyddio ochr y bryniau felly fel man neu linell wylio tuag at Gymru.

Rydym yn ymwybodol iawn fod darnau sylweddol o Glawdd Offa wedi eu dinistrio drwy adeiladu ffyrdd ac o ganlyniad i brosesau amaethyddol dros y blynyddoedd. Gwelir darnau o'r clawdd dan wrychoedd (fel yn Chirbury), a chawn enghreifftiau di-ri lle mae ffyrdd diweddarach yn dilyn llinell y clawdd. Bu difrod sylweddol i ddarn o'r clawdd yn ystod mis Awst 2013 yn ardal y Waun, ac er mor anfaddeuol oedd hyn ar ran y drwgweithredwr, fe greodd hyn gyfle i archaeolegwyr Ymddiriedolaeth Archaeolegol Clwyd Powys archwilio'r darn dan sylw. Ni chosbwyd y drwgweithredwr (o'r enw Danny), oherwydd iddo honni nad oedd yn gwybod am fodolaeth y clawdd a'i fod yn gofeb hynafol, er iddo fyw yn yr ardal drwy gydol ei oes.

Roedd y difrod wedi effeithio ar oddeutu 40–50m o'r clawdd, a gobaith Ian Grant a Nigel Jones o CPAT oedd y byddai modd edrych ar o leiaf weddillion y clawdd, neu yn sicr ddarnau o sylfaen y clawdd, yn ogystal â'r pridd neu'r tir gwreiddiol o dan y clawdd. Ychydig o ddifrod a wnaethpwyd i'r ffos gan Danny yn 2013, ond wrth gloddio daethpwyd o hyd i olion draeniau diweddar, felly ymddengys fod y ffos eisoes wedi ei difrodi.

Awgryma Grant a Jones (2014) fod modd gweld gwahanol haenau o fewn y clawdd, ond mewn gwirionedd y tebygolrwydd yw bod y clawdd wedi ei adeiladu drwy osod y pridd a'r tywyrch o'r ffos ar linell y clawdd. Cafwyd awgrym gan Hill a Worthington (awduron tywyslyfr ar Glawdd Offa, 2003) fod llinell y clawdd wedi ei chynllunio, sydd yn ddigon rhesymol, ond doedd dim awgrym o gloddio CPAT fod hyn yn amlwg fel nodwedd arbennig yng ngwneuthuriad y clawdd. Hynny yw, efallai fod pyst wedi eu gosod yn wreiddiol i ddangos llinell y clawdd wrth ei godi, ond nid yw hyn i'w weld bellach yn y dystiolaeth archaeolegol.

Pwysicach o ran y cloddio yw'r ffaith fod golosg wedi ei ddarganfod y tu mewn i'r clawdd. Gallodd yr archaeolegwyr ddyddio samplau o'r golosg hwn â thechnegau radiocarbon – ac mae'r canlyniadau'n ddiddorol. Rhaid cofio bod y pridd yn y clawdd yn bridd oedd wedi ei gloddio a'i godi o'r ffos a'i ailosod yn y clawdd (*redeposited turf*), felly nid nodi cyfnod adeiladu'r clawdd mae'r dyddio radiocarbon hwn, o reidrwydd, ond yn hytrach y dyddiad y llosgwyd y pridd gwreiddiol.

Gallai'r llosgi fod wedi digwydd beth amser cyn i'r pridd gael ei symud i godi'r clawdd, ond gallwn fod yn bendant mai ar ôl y llosgi y bu'r adeiladu. Gelwir hyn yn *terminus post quem*. Yn ôl y canlyniadau cafodd y pridd a'r tywyrch eu llosgi rhwng 541 a 651 oed Crist (mae'r canlyniadau tua 95.4% yn gywir), felly, mae'r dyddiadau hyn yn cadarnhau fod y clawdd wedi ei adeiladu ar ôl y cyfnod Rhufeinig.

Does dim yn annisgwyl yn hyn – os bu defnydd o'r tir yn ystod y 6ed neu'r 7fed ganrif, ni fyddai dod o hyd i olosg yn anghyffredin – ond o leiaf gallwn fod yn sicr erbyn hyn nad yw Clawdd Offa yn nodwedd Rufeinig neu gyn-hanesyddol.

Ond cafwyd canlyniad tra gwahanol wrth brofi gwaelod darn

arall o'r clawdd (*basal deposits*) – roedd y prawf hwn yn awgrymu dyddiad adeiladu rhwng 887 a 1019 oed Crist (eto, tua 95.4% yn gywir). Os felly, mae awgrym pendant yma fod darnau, o leiaf, o'r clawdd heb gael eu codi gan Offa o gwbl – a bod darnau o'r clawdd felly wedi eu codi, neu wedi eu cwblhau, gan un neu fwy o'i olynwyr rai blynyddoedd os nad ganrif yn ddiweddarach.

Does dim posibl awgrymu pa un o olynwyr Offa fyddai'n gyfrifol am y gwaith hwn, ond rydym yn gwybod i Fersia ddod yn rhan o Loegr gyfan yn 959 yng nghyfnod Eadgar. Rhwng 829 ac 830 roedd Ecgberht o Wessex yn rheoli Mersia ar ôl trechu Wiglaf, ond bu i Wiglaf adennill ei diriogaeth wedyn hyd at 839. Erbyn 887 roedd Aethelred II yn rheoli Mersia er ei fod yn talu gwrogaeth i Alffred Fawr, Wessex. Doedd yr un grym ddim gan Mersia ar ôl cyfnod Offa, ond doedd dim i rwystro unrhyw un o'r olynwyr rhag bod yn gyfrifol am y gwaith o gwblhau'r clawdd.

Archaeoleg Clawdd Wat

Yn y gorffennol roedd un farn, a awgrymwyd gan Cyril Fox, fod Clawdd Wat yn waith oedd yn perthyn i gyfnod Aethelbald o Fersia (716-757), sef rhagflaenydd Offa. Ond y ffaith amdani yw nad oes modd profi hyn yn archaeolegol. Dydi'r dystiolaeth radiocarbon a fyddai'n awgrymu dyddiadau adeiladu'r clawdd ddim gan yr archaeolegwyr ar hyn o bryd.

Bu cloddio gan Brifysgol Queen's, Belfast, yn y 1990au ar ddarn o'r clawdd yn ardal Maes y Clawdd ger Croesoswallt. Canfuwyd llestri pridd Brythonaidd-Rufeinig, ac awgrymodd canlyniad profion dyddio radiocarbon ddyddiad adeiladu rhwng 411 a 561 oed Crist. Unwaith eto, does dim sicrwydd ynghylch cyd-destun cywir y darganfyddiadau yma, felly does fawr o archaeolegwyr o'r farn fod Clawdd Wat wedi ei godi mor gynnar â hyn. Mae'n debygol bod y darganfyddiadau yma ar y ddaear o dan y clawdd ac o ganlyniad yn gynharach na chyfnod adeiladu'r clawdd, felly beth sydd gennym yma yw *terminus post quem* fel yn achos Clawdd Offa ger y Waun.

Awgrym arall yw bod anghydfod rhwng y Cymry a Ceonwulf o Fersia yn y 820au yn gyd-destun gwleidyddol addas ar gyfer

Clawdd Wat ger Fferm Sychdyn

codi clawdd o'r fath – byddai hyn y cyd-fynd ag unrhyw awgrym mai Clawdd Wat yw'r un hwyrach. Does fawr o sicrwydd chwaith ynglŷn â tharddiad yr enw Wat.

Archaeoleg Clawdd Chwitffordd

Felly, beth am Glawdd Chwitffordd? Gwnaeth Nigel Jones o CPAT waith diweddar yn archwilio'r clawdd, a hynny o ardal Trelawnyd (SJ 0916 7973) hyd at y terfyn deheuol ger cylch pridd cynhanesyddol Treffynnon (neu Gylch Ysgeifiog, SJ 1531 7466). Yn draddodiadol, ac yng nghyfnod cloddio Cyril Fox yn y 1920au, y farn oedd mai darnau mwyaf gogleddol Clawdd Offa oedd y clawdd yma, ond rydym yn gwybod yn wahanol erbyn heddiw.

Mae Clawdd Chwitffordd yn llai sylweddol na chloddiau Offa a Wat, ac mae ei wneuthuriad yn wahanol. Y nodwedd amlycaf sy'n wahanol i Gloddiau Offa a Wat yw bod ffos y naill ochr i Glawdd Chwitffordd. Fe all Clawdd Chwitffordd fod yn enghraifft o un o'r cloddiau a'r ffosydd byrion, ond does dim sicrwydd o hyn chwaith.

Rhwng 2009 a 2014 bu CPAT yn cloddio darnau o Glawdd Chwitffordd gan ailedrych ar rai o safleoedd cloddio Cyril Fox. Cadarnhawyd gan amlaf fod ffos o bobtu'r clawdd, ac mewn rhai achosion roedd y ffos honno wedi ei thyllu i mewn i'r graig naturiol (*rock cut ditch*) gan ei gwneud yn ddigon hawdd i'w darganfod yn archaeolegol.

Caniataodd y gwaith cloddio diweddaraf hefyd i archaeolegwyr gadarnhau nad yw darnau o'r clawdd ger fferm y Gop, Trelawnyd, fawr mwy na hen ffordd neu lwybr canoloesol ac felly ddim yn rhan o unrhyw linell glawdd.

Awgryma Jones (2014) fod tri darn posibl i Glawdd Chwitffordd: i'r de-ddwyrain o Drelawnyd, ger Brynbella ac wedyn ar ochr ddeheuol yr A55 ger Cylch Ysgeifiog. Yn ddiddorol iawn, ymddengys fod adeiladwyr Clawdd Chwitffordd wedi parchu tomen gladdu o'r Oes Efydd ger Brynbella, a bod y domen wedi ei chynnwys ar linell y clawdd yn hytrach na'i chwalu. Yn ail, ymddengys fod yr adeiladwyr hefyd wedi parchu hengor o'r Oes Efydd, sef cylch pridd Treffynnon (Cylch Ysgeifiog) gan beidio â chroesi'r cylch.

*Clawdd Chwitffordd a Chylch Ysgeifiog o'r awyr
(trwy garedigrwydd CPAT)*

Cloddio ar Glawdd Chwitffordd
(trwy garedigrwydd CPAT)

Awgrymir bod tomen Brynbella (SJ 130 771) yn weddillion claddfa o'r Oes Efydd ond mae cryn ddifrod i'r domen oherwydd ffordd ddiweddar i'r fferm. Dyma hefyd un o safleoedd cloddio Fox yn 1925. Gwelir ar y map OS fod y darn yma o glawdd yn cael ei alw yn Glawdd Offa, a hefyd bod Clawdd Chwitffordd yn newid mymryn ar ei gyfeiriad wrth gyrraedd y gladdfa ym Mrynbella.

Gwelir clwstwr anhygoel o domeni claddu (*twmwli*) o'r Oes Efydd yn yr ardal yma i'r gogledd o'r A55 ac ychydig i'r gorllewin o bentrefi Gorsedd a Chwitffordd. Yn ystod yr Oes Efydd rhaid bod y dirwedd yma fel rhyw fath o fynwent neu dirwedd sanctaidd /ddefodol, ac o edrych ar gronfa ddata *Archwilio* gwelwn fod dros 40 o domenni o fewn ychydig filltiroedd i'w gilydd.

Does dim i'w weld ar y ddaear bellach o hengor Gylch Treffynnon/Ysgeifiog (SJ 130 771) er bod gweddillion tomen gladdu arall a gloddiwyd gan Fox i'w gweld yn ei ganol. Dyma safle Cae Ras Treffynnon yn ddiweddarach, a chynhaliwyd y ras geffylau gyntaf yma yn 1768. Mae gweddillion y twr cychwyn (*Starter Tower*) i'w weld (SJ 147 752) – tybed a gafodd y twr ei adeiladu ar ben tomen gladdu arall o'r Oes Efydd?

Yr hyn sydd yn ofnadwy o ddiddorol yma yw bod Clawdd Chwitffordd unwaith eto wedi parchu cofadail blaenorol gan osgoi canol y cylch, a daw sawl cwestiwn i'r meddwl yn sgil hyn. Tybed a oedd math o rodfa yma yn yr Oes Efydd yn arwain at ganol y cylch pridd/hengor a bod adeiladwyr Clawdd Chwitffordd wedi dilyn yr un llinell? Neu, wrth gwrs, bod yr hyn rydym yn ei alw yn 'glawdd' ger y cylch pridd/hengor yn perthyn i'r Oes Efydd yn hytrach na chyfnod Clawdd Chwitffordd, felly nid yn rhan o Glawdd Wat o gwbl?

Yn sicr, byddai cloddiau a ffosydd y cylch pridd dipyn yn fwy amlwg yng nghyfnod adeiladu Clawdd Chwitffordd, ond mae'r cyfan wedi diflannu bellach oherwydd amaethu a throi'r tir dros y canrifoedd. Dim ond awyrluniau sy'n galluogi rhywun i weld siâp hirgrwn yr hengor erbyn heddiw.

Beth oedd y rheswm, tybed, fod adeiladwyr Clawdd Chwitffordd wedi parchu olion yr hengor, os ydym am dderbyn fod yma ddau henebyn hollol wahanol o ddau gyfnod hollol wahanol? A oedd hyn yn rhywbeth ymarferol ynteu ofergoelus?

Rhaid ystyried hefyd felly fod Clawdd Chwitffordd wedi dilyn llinell rhodfa flaenorol oedd yn arwain at ganol yr hengor – unwaith eto, tydi hyn ddim yn hollol anghyffredin, ond mae profi unrhyw berthynas rhwng Clawdd Chwitffordd ac unrhyw olion o'r Oes Efydd yn mynd i fod yn dipyn o gamp.

O edrych ar awyrluniau o Glawdd Chwitffordd o bobty Cylch Ysgeifiog, mae'n amlwg nad yw'r clawdd sy'n dod o gyfeiriad y gogledd yn anelu at ganol y cylch, ond bod y clawdd ar yr ochr ddeheuol yn dilyn llinell am ganol y cylch. Y darn deheuol yma o'r clawdd y mae Alex Gibson yn awgrymu ei fod ar linell rhodfa flaenorol o'r Oes Efydd. A yw'r clawdd i'r de o'r cylch pridd yn rhan o Glawdd Wat o gwbl? Beth bynnag yw'r esboniad, mae'n sicr yn od, os yw'r clawdd o un cyfanwaith, nad yw'n gorwedd ar yr un llinell ar y ddwy ochr i Gylch Ysgeifiog.

Rydym unwaith yn rhagor yn codi mwy o gwestiynau nag o atebion yn achos Clawdd Chwitffordd. A yw'r tri darn o glawdd rydym wedi eu hadnabod yn un cyfanwaith? A ddefnyddiwyd y llinell yma gan Offa fel rhan ogleddol ei ffin? Cefais y fraint a'r pleser o gloddio hefo Nigel Jones a CPAT ar safleoedd Four Crosses, Trefaldwyn a Chaersŵs ganol y 1980au, ac wrth sgwrsio â Nigel yn ddiweddar am y cloddiau yma yr unig beth yr oeddem yn sicr ohono yw bod cymaint na wyddom amdanynt. Yn absenoldeb profion dyddio radiocarbon pellach, mae'n debygol na chawn fyth wybod i sicrwydd pa glawdd a adeiladwyd gyntaf.

Clawdd Offa, Clawdd Wat a Chlawdd Chwittffordd

Clawdd Wat, Sychdyn

Hyd y daith: cylchdaith bosib o ddwyawr.
Map yr Ardal: OS Landranger 117
Cyfeirnod Map OS: SJ239674 – SJ 235679
Man Cychwyn: Wat's Dyke Way, Pentref Sychdyn
Parcio: yn y pentref
Graddfa: Cymedrol gyda darnau anodd. Bydd angen esgidiau cerdded gan fod darnau o'r llwybr yn gallu bod yn wlyb a mwdlyd.

Man Cychwyn: Yng nghanol Sychdyn mae stryd o'r enw Wat's Dyke Way sy'n sefyll ar linell clawdd Wat. Mae llwybr troed yn rhedeg i'r gogledd-orllewin o Wat's Dyke Way ar hyd ymyl y stad o dai a ger cyrion Coed Andrew, ac yn dod allan ar y ffordd am westy Neuadd Sychdyn (Soughton Hall).

Yma, rhaid troi i'r chwith a cherdded draw am yr A5119 (y ffordd rhwng Llaneurgain a'r Wyddgrug). Bydd angen croesi'r ffordd ac anelu at y ffordd gul sy'n arwain heibio fferm gyda'r enw anffodus 'Clawdd Offa' (o gofio ei bod ar linell Clawdd Wat). Ymhen tua hanner milltir mae tro yn y ffordd ac fe welwch y llwybr cyhoeddus yn parhau yn syth o'ch blaen. Ewch dros y gamfa a gwelwch ran o Glawdd Wat ar y llaw dde – byddwch yn cerdded lle'r oedd y ffos.

Byddwch wedyn yn dod i gae agored sy'n perthyn i Fferm Sychdyn, ac mae mymryn o'r clawdd i'w weld yn y cae. Ym mrig y cae mae rhan sylweddol o'r clawdd wedi goroesi, ac wrth grwydro i lawr yr allt drwy'r cae nesaf mae darnau da iawn i'w gweld a'r ffos yn hollol amlwg. Yn anffodus, tydi presenoldeb ceffylau yn y cae ddim yn helpu o safbwynt cadwraeth y clawdd.

Ar ddiwedd y llwybr croeswch bont droed fechan i gyrraedd ffordd gul. Gallwch weld gweddillion y clawdd ar linell y gwrych ar ochr dde'r ffordd. Ger y gyffordd mae dewis i gerddwyr – gallwch

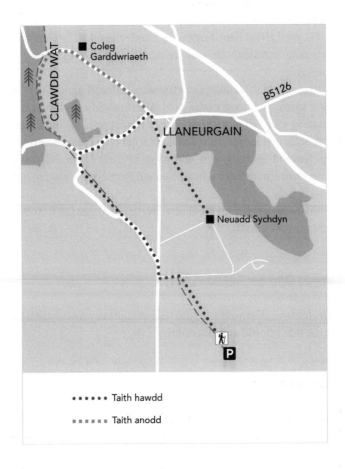

●●●●● Taith hawdd

■■■■■ Taith anodd

ddewis cadw i'r dde a mynd yn ôl am Laneurgain ar y ffordd, sef y daith haws, neu gadw i'r chwith, sef y daith anoddach.

Os ydych am gadw i'r chwith, dechreuwch gerdded i fyny'r allt. Mae Clawdd Wat nawr yn mynd dros y bryn a thrwy'r goedwig. Mae modd cerdded llwybr digon blêr ac anodd sy'n mynd o dan linell y clawdd drwy'r goedwig ac yn dod allan ar y ffordd i Helygain. Dydi'r llwybr hwn ddim yn addas i rai na allant ddringo dros goed sydd wedi disgyn a cherdded llwybrau llithrig, ond drwy ddyfalbarhau byddwch yn cyrraedd ffordd Helygain rhyw chwarter milltir o'r Coleg Garddwriaeth (Prifysgol Glyndŵr). Cerddwch yn eich blaen i bentref Llaneurgain.

Os yw Eglwys Sant Eurgain a Phedr Sant yn Llaneurgain ar agor, mae corffddelwau canoloesol i'w gweld y tu mewn (SJ 246684).

Yng nghanol Llaneurgain croeswch y ffordd ac anelwch at y llwybr troed sy'n croesi'r cwrs golff. Mae arwyddion y llwybr troed yn amlwg yma, yn eich cyfeirio drwy'r cwrs golff, heibio llociau'r fferm ac ar hyd llwybr cul o dan goed a ger ffrwd fechan sy'n dilyn ochr Neuadd Sychdyn cyn dod allan ar Hall Lane. Dilynwch y ffordd yn ôl am Sychdyn a bydd Neuadd Sychdyn i'w weld ar y dde ger y porthdy.

Buan iawn y dewch yn ôl at y llwybr troed ger Coed Andrew, man cychwyn y daith.

Clawdd Offa ger Trefaldwyn

O Drefaldwyn dilynwch y B4386 tuag at Chirbury. Gwelir y clawdd ar ochr dde'r ffordd ar ôl 1.5 milltir.

Cloddiau Byrion

Clawdd ger Two Tumps, Ceri (Cyfeirnod Map OS: SO 115851)
Upper Short Ditch, Ceri (Cyfeirnod Map OS: SO 193871 – SO 194872)
Clawdd Llanlluest, Tre'r Clawdd (Cyfeirnod Map OS: SO 191751 – SO 187746)
Ditch Bank, Maesyfed (Cyfeirnod Map OS: SO 198600)

Pennod 7
Y Cestyll Mwnt/Tomen a Beili Cymreig

Cyfnod: Canol Oesoedd

Dull Normanaidd o godi cestyll oedd y mwnt (neu domen) a beili. Cestyll yw'r rhain sydd â thomen o bridd ar gyfer tŵr neu orthwr (pren fel arfer, ond ceir enghreifftiau o dŵr o gerrig hefyd ar ôl 1100 oed Crist) a buarth wedi ei amgylchynu â chlawdd a ffos, gyda wal bren (palisâd) ar ben y clawdd. Byddai'r mwnt yn cael ei godi yn rhy serth i unrhyw un fedru rhedeg yn syth i'r copa, a'r syniad oedd bod modd saethu bwa saeth o leiaf dros gyrion y beili o'r tŵr. Rhain oedd y cestyll cyntaf go iawn yng Nghymru a Lloegr, a William Goncwerwr a gyflwynodd y dull yma o adeiladu i wledydd Prydain ar ôl ei ymosodiad yn 1066.

Yn y bennod yma byddaf yn edrych ar gestyll tomen a beili a godwyd gan y tywysogion Cymreig – tywysogion Gwynedd a Phowys. Mae'n amlwg bod y tywysogion Cymreig wedi mabwysiadu'r arferion Normanaidd hyn yn sydyn iawn: cawn enghreifftiau amlwg fel Tomen Gastell, Dolwyddelan (man geni Llywelyn ab Iorwerth, o bosib), a'r cestyll rwy'n eu trafod isod, sef Caereinion a'r Trallwng, a adeiladwyd gan dywysogion Powys.

Byddaf yn trafod Sycharth a Glyndyfrdwy ym Mhennod 10 fel enghreifftiau o gestyll Normanaidd sydd wedi cael ail ddefnydd yng nghyfnod Glyndŵr – yn achos Glyndyfrdwy dim ond y safle a gafodd ei ailddefnyddio, ond yn Sycharth, ac yn eithaf anghyffredin, gwelwn fod teulu Glyndŵr wedi codi adeilad neuadd ar ben yr hen domen Normanaidd.

Tomen y Rhodwydd
Cyfnod: 12fed ganrif
Saif Tomen y Rhodwydd, tomen-gastell a gysylltir ag Owain Gwynedd, ar un pen i Nant y Garth, bwlch sy'n cysylltu ardal y ffin â Dyffryn Clwyd. Y ffordd bresennol drwy'r bwlch yw'r A525, a hon

Tomen y Rhodwydd

yw'r ffordd mae rhywun yn ei dilyn wrth deithio o Ruthun i gyfeiriad Wrecsam heibio i Goleg Llysfasi. Bwlch troellog iawn yw Nant y Garth, un poblogaidd gyda moto-beicwyr oherwydd yr holl droadau.

Fel sy'n wir heddiw, mae'n sicr fod pwysigrwydd i'r bwlch mewn cyfnodau hanesyddol, a thybiwn fod bwlch o'r fath wedi gweld defnydd ers y cyfnodau cyn-hanesyddol. Byddai'n fwlch er mwyn croesi o'r dwyrain tua'r gorllewin ac yn y Canol Oesoedd byddai'n fwlch rhwng Lloegr a pherfeddwlad Cymru.

O edrych ar wefan *Archwilio* Ymddiriedolaeth Archaeolegol Clwyd Powys, mae digon o enghreifftiau o garneddau claddu yr Oes Efydd yn ardal Llysfasi a Llandegla yn ogystal â bryngaerau, ac awgrym o lociau yr Oes Haearn wedi eu darganfod drwy awyrluniau. Mae hyn yn brawf bod dyn wedi byw yn yr ardal yma yn y cyfnodau cyn-hanesyddol. Ond cadw i'r de o Nant y Garth mae'r ffordd Rufeinig o Gaer Gai (Llanuwchllyn) am ddinas Caer; roedd y Rhufeiniaid yn tueddu i gadw at linellau mwy syth, ac yn ddaearyddol ni fyddai angen iddynt wyro oddi ar y llinell o Gorwen am Landegla. Ychydig i'r dwyrain o Landegla gwelwn fod yr A525 yn dilyn cwrs yr hen ffordd Rufeinig.

Mae mapiau OS a gyhoeddwyd ar ddechrau'r 20fed ganrif yn cyfeirio at y castell fel Castell yr Adwy, sydd yn ategu'r syniad bod Nant y Garth yn adwy neu fwlch i ogledd-orllewin Cymru drwy Ddyffryn Clwyd, ond mae'r hanesydd J. E. Lloyd yn ddirmygus o ddefnyddio'r enw yma, gan awgrymu nad oes unrhyw 'awdurdod' iddo. Cwestiwn amlwg felly yw o ble a phryd y daeth yr enw Castell yr Adwy i fodolaeth – a pham? Ar wefan *Coflein* (catalog ar-lein y Comisiwn Brenhinol o archaeoleg, adeiladau a threftadaeth ddiwydiannol ac arforol yng Nghymru) mae cofnod o dri enw a ddefnyddiwyd am y safle: Tomen y Rhodwydd, Castell yr Adwy a Chastell y Rhodwydd. Ystyr 'Rhodwydd' yw clawdd amddiffynnol neu amddiffynfa, felly dydi'r enw yma'n gwneud fawr mwy na datgan yr amlwg.

Enw arall ar y safle oedd Castell Cefn Du, a bu i'r hynafiaethydd John Leland (1503–1552) gysylltu'r safle, yn anghywir, ag Owain Glyndŵr – enghraifft o ddrysu ei 'Oweiniaid' efallai? Wrth dynnu coes ychydig yma, rhaid gofyn cwestiwn arall: a fyddai unrhyw un yng nghyfnod Leland wedi bod yn ymwybodol o'r cysylltiad posibl rhwng Owain Gwynedd a'r safle? Nododd Leland fod y castell yn cael ei ddefnyddio fel corlan ddefaid erbyn ei gyfnod ef.

Adeiladodd Owain Gwynedd (tywysog Gwynedd) ei gastell yma oddeutu 1147-49, wrth i Owain ymestyn ei ddylanwad i'r dwyrain ac i diriogaeth tywysogion Powys. O safbwynt Owain, roedd yn ddigon naturiol fod castell wedi ei sefydlu yma yn Iâl, i reoli mynediad drwy'r bwlch (adwy) a oedd mor bwysig o ran cysylltu rhanbarthau canoloesol Maelor ac Iâl â Dyffryn Clwyd.

Ar ôl i Owain ap Gruffudd ap Cynan ddod yn frenin (wedyn yn dywysog) ar Wynedd yn 1137, fe ddechreuodd ymgyrchu tua'r dwyrain gan herio Ranulf o Gaer a Madog ap Maredudd o Bowys. Cipiodd yr Wyddgrug ac Ystrad Alun yn 1146 a Thegeingl yn 1149. Adeiladwyd Tomen y Rhodwydd yn nhreflan Buddugre (Bodigre'r Iarll) ym mhlwyf Llanarmon er mwyn rheoli'r mynediad drwy'r bwlch.

Cwta ddeng mlynedd, os hynny, y bu Owain Gwynedd yma cyn i'r castell gael ei losgi gan Iorwerth Goch ap Maredudd (brawd Madog) o Bowys. Nid yw disgrifio digwyddiadau'r cyfnod yn nhermau rhyfel rhwng y Cymry a'r Normaniaid yn unig (Saeson maes o law) yn gywir o bell ffordd felly.

Anodd yw dweud beth yn union yw'r berthynas â thomen gyfagos Tomen y Faerdre (Cyfeirnod Map OS: SJ 193 561) yn Llanarmon-yn-Iâl, sy'n debyg iawn o ran ei gwneuthuriad (er nad oes golwg o'r beili yma, os bu un erioed). Gwelwn gyfeiriadau hanesyddol at Domen y Faerdre fel 'llys' brenhinol. Ai Owain Gwynedd oedd yn gyfrifol am godi'r ddwy domen, tybed?

Does dim sicrwydd na modd o ddwyeud ar hyn o bryd a gafodd Tomen y Rhodwydd ei hailgodi'n syth ar ôl ei llosgi yn 1157, ond awgrymir bod y Brenin John wedi atgyweirio cestyll y Faerdre a Rhodwydd yn 1212 yn ystod ei ymgyrch yn erbyn Llywelyn Fawr. Cawn gyfeiriad at atgyweirio yng nghofnodion ariannol llywodraethol y Pipe Rolls (1212–13), ond sôn am y *'castle of Yale'* mae'r cofnod hwnnw – nid yw'n cadarnhau pa gastell yn union oedd dan sylw nac, yn wir, a fu gwaith atgyweirio ar y ddau safle.

Ian Grant o Ymddiriedolaeth Archaeolegol Clwyd–Powys (CPAT) sydd wedi bod yn arwain ar y gwaith archaeolegol diweddar ar Domen y Rhodwydd. Os ydym am dderbyn mai

Clirio Tomen y Rhodwydd yn 2015

castell Owain Gwynedd oedd hwn, dyma un o'r safleoedd tomen a beili pwysicaf yng Nghymru, felly. Yr hyn sy'n eithriadol am Rhodwydd yw ei faint: ni ellir ei ddisgrifio ond fel safle trawiadol tu hwnt, a thystiolaeth bendant i'r tywysogion Cymreig fabwysiadu'r dull Normanaidd o adeiladu. Yn anffodus, yr hyn sydd hefyd yn rhy amlwg o lawer yw'r diffyg sylw a gaiff y safle hynod yma, a nod Ian Grant yw codi ymwybyddiaeth a gwella'r mynediad yno i'r cyhoedd. Mae'r safle ar dir preifat, ond gobaith Grant yw sicrhau mynediad cyhoeddus drwy lwybr penodol.

Problem enfawr ar Domen y Rhodwydd yw'r coed drain sy'n tyfu dros y safle, ac mae Ymddiriedolaeth Archaeolegol Clwyd Powys, ar y cyd â myfyrwyr Coleg Llysfasi, wedi dechrau ar y gwaith o dorri'r coed. Canlyniad hyn yw bod y cloddiau a'r ffosydd nawr yn dechrau dod yn fwy amlwg, a bod y safle ei hun yn fwy gweladwy. Wrth reswm, mae'r gwaith clirio hwn yn ysgafnhau unrhyw faich ar berchennog y fferm i gynnal a chadw'r safle. Yn sicr, bydd mwy i'w weld wrth deithio ar hyd ffordd droellog yr A525 drwy Nant y Garth ar ôl gorffen y gwaith clirio hanfodol hwn, a daw mwy o bobl, gobeithio, yn ymwybodol o safle sy'n eithriadol bwysig o safbwynt hanes Cymru; safle hynod drawiadol sydd mewn cyflwr cymharol dda.

Dim ond drwy waith cloddio archaeolegol mae modd ceisio darganfod a fu gwahanol gyfnodau o adeiladu yma. Yr her archaeolegol, petai hynny'n digwydd, fyddai ceisio gwahaniaethu rhwng adeiladwaith Owain Gwynedd a'r Brenin John, o ystyried bod yr adeiladwaith yn gyfan gwbl o bren a phridd yn hytrach na cherrig. Mae'n anoddach gwahaniaethu rhwng cyfnodau lle mae'r defnydd adeiladu yr un peth – mae bywyd yr archaeolegydd bob amser yn haws os oes adeiladwaith o gerrig wedi ei godi ar ben adeiladwaith cynharach o bren, er enghraifft, gan fod gobaith wedyn o ddarganfod tyllau pyst neu ffosydd o dan yr adeiladwaith o gerrig drwy gloddio.

Amser a ddengys a fydd cyfle neu ganiatâd i archwilio'r safle drwy gloddio archaeolegol, ond yn sicr bwriad Grant yw cynnal arolwg geoffisegol o'r safle ar ôl cwblhau'r gwaith clirio coed yn ystod 2015. Byddai arolwg geoffisegol, petai'n llwyddiannus, yn gallu awgrymu unrhyw batrymau neu olion adeiladau o dan y pridd heb i neb orfod cloddio.

Ceir awgrym fod rhan o'r ffos o amgylch y mwnt wedi ei chau yn ystod cyfnod y porthmyn, a bod y beili wedi ei ddefnyddio fel man cyfleus i gadw gwartheg. Mae hyn yn cyd-fynd â disgrifiadau Leland yn y 16eg ganrif am ddefnyddio'r beili fel '*sheepfold*', a byddai rhywun yn disgwyl defnydd o'r fath dros y ganrif neu ddwy yn dilyn hynny hefyd, o bosibl. Gwelwn heddiw fod y clawdd allanol wedi ei chwalu a'r ffos wedi ei llenwi er mwyn creu mynedfa i'r beili i'r perwyl hwn. Felly, mynedfa ddiweddar yw'r un a ddefnyddir heddiw wrth ymweld â'r safle.

Castell Caereinion (Twmpath Garmon)
Cyfnod: 12fed ganrif

Castle Caereinion was so utterly unlike any part of Wales hitherto known to me, and possessed so many features of interest ... It was situated in a pleasant glen, fertile and well-wooded, opening out into the great valley of the Severn. Offa's Dyke could be traced a mile or two to the eastward, and the line of demarcation between English and Welsh ran through the parish. The lower division was entirely English and the upper Welsh: while the village situated about the centre was sort of Debateable Land.

Daw'r dyfyniad uchod o hunangofiant Robert Roberts, y Sgolor Mawr, ac argraff debyg o'r rhannau yma o Faldwyn, ar y ffin ieithyddol, oedd gan R. S. Thomas tra oedd yn rheithor ym Manafon. Mae dyfyniad hyfryd yn llyfr Byron Rogers, *The Man Who Went Into The West*, lle mae R. S. yn sgwrsio hefo dyn lleol o'r enw Mr Jones; 'Dad could speak Welsh but it's died out now. At least at 650 feet it has. But a few hundred feet higher it's still there in the hills behind the hills, where the Welsh language, like the view, begins at 1000 feet.'

Fel un a fagwyd yn Llanfair Caereinion, ychydig filltiroedd i'r gorllewin ar hyd yr A458, rwy'n deall syniadaeth Robert Roberts ac R. S. yn iawn. Ar ôl i rywun adael Castell Caereinion am y dwyrain i gyfeiriad y Trallwng, dyna hi – diwedd ar y Gymraeg fel yr iaith naturiol. Roedd hynny'n hollol amlwg i ni hyd yn oed fel plant yn y 1960–70au. Ategir hyn gan T. I. Ellis yn *Crwydro Maldwyn* lle mae'n cyfaddef yn 1957; '... y mae arnaf ofn nad oes nemor ddim Cymraeg yno' wrth gyfeirio at Gastell Caereinion.

Bu Robert Roberts yn ysgolfeistr yng Nghastell Caereinion pan oedd ond yn 17 oed yn 1852, ac mae ei hunangofiant yn un o'r cyfrolau gorau i mi ei ddarllen o safbwynt portread o fywyd cyffredin cefn gwlad yng Nghymru yn y cyfnod Fictoraidd. Ailgyhoeddwyd y gyfrol gan Wasg Prifysgol Cymru, Caerdydd, yn 1991 gyda chyflwyniad gan John Burnett a H. G. Williams. Hoffwn fachu ar y cyfle yma hefyd i gyfeirio at y gyfres *Crwydro Cymru* (Llyfrau'r Dryw), ac er bod yr archaeoleg yn gallu bod yn arwynebol mae'r awduron yn cyfeirio at lefydd bach diddorol a hanesion difyr sydd o ddiddordeb mawr i ni grwydrwyr yr unfed ganrif ar hugain.

Roedd hanes cyfoethog ardal Castell Caereinion hefyd yn wybyddus i ni, blant yr ardal. Bryd hynny, roedd hen neuadd Tŷ Dolarddun (SJ 156 062, gweler Pennod 3) yn dal i sefyll – fe chwalwyd yr adfeilion yn 1983, ac yn ôl y sôn bu i fyddin Harri Tudur aros dros nos yma ar eu ffordd i Bosworth. Roedd stori arall fod Harri wedi prynu ceffyl gwyn yma, boed honno'n wir neu beidio, ond mae'n debyg bod y tŷ ei hun yn weddol nodweddiadol o neuadd o'r 19eg ganrif, er bod darnau hŷn wedi eu hadeiladu o ffrâm bocs pren, a allai ddyddio o'r 15fed ganrif, wedi bod y tu ôl i'r brif neuadd. Gallwn fod yn weddol sicr fod y ffordd bresennol (A458) yn dilyn llwybr hen ffyrdd blaenorol, a byddai Tŷ Dolarddun felly yn agos iawn i'r brifffordd. Mae awgrym ar wefan *Archwilio* fod llinell y ffordd Rufeinig yn yr un cae â safle'r hen Neuadd.

Stori arall adnabyddus yn yr ardal yma, o safbwynt hanes Cymru, yw'r un am Frwydr Moydog lle bu byddin Madog ap Llywelyn yn brwydro yn erbyn William de Beauchamp, Iarll Warwig, ar 5 Mawrth 1295. Bu gwrthryfel Madog o 1294 ymlaen yn gyfrifol am losgi a chipio Caernarfon, a hyn arweiniodd yn ddiweddarach at adeiladu castell olaf Edward I ym Miwmares.

Castell Caereinion

Collodd Madog oddeutu 700 o filwyr ym mrwydr Moydog, yn ôl y sôn. Er iddo gael ei ddal ym mis Gorffennaf 1295, ymddengys fod Madog wedi byw mewn caethiwed yn Llundain hyd o leiaf 1312.

Saif y castell mwnt a beili yng nghornel ogleddol mynwent Eglwys Sant Garmon yng Nghastell Caereinion, ac er bod y rhan fwyaf o'r safle wedi ei chwalu mae darn o'r domen wedi goroesi i uchder o 3m, ac oddeutu 20m ar draws. Y tebygolrwydd yw bod y beili bellach yn gorwedd o dan y fynwent. Rhaid felly bod yr eglwys wedi ei sefydlu yn hwyrach, rywbryd ar ôl diwedd y 12fed ganrif, pan nad oedd y castell yn cael ei ddefnyddio bellach.

Gwyddom fod Eglwys Sant Garmon wedi ei hailadeiladu yn gyfan gwbl yn 1866 a bod ychwanegiadau eraill ynddi yn perthyn i 1874. Roedd yr eglwys flaenorol yn dyddio o'r 15fed ganrif.

Adeiladwyd y castell yn 1156 gan Madog ap Maredydd (Madawc), tywysog Powys, a bu adeiladu pellach wedyn yn 1166 gan Owain Gwynedd a'r Arglwydd Rhys (Rhys ap Gruffudd) ar ôl iddynt alltudio Owain Cyfeiliog, nai i Madog, am iddo dyngu llw o deyrngarwch i'r Saeson. Byr iawn fu cyfnod Owain Gwynedd a'r Arglwydd Rhys yma, gan i Owain Cyfeiliog a'r Normaniaid ddymchwel y castell yn fuan wedyn. Dyna ddiwedd hanes y castell yn ôl pob tebyg.

Enw arall lleol ar y domen yw Twmpath Garmon, ac mae ambell un wedi awgrymu mai twmpath pregethu yw'r gweddillion yma, ond mae'n anodd bod yn sicr faint o sail sydd i hyn. Mae rhai yn honni nad yw'r domen yn ddigon nodweddiadol i fod yn domen castell gan nad oes ffos o'i hamgylch, ac mae dadl, hyd yn oed, mai gweddillion sbwriel pridd o'r ffordd gyfagos yw hi. Yn amlwg, mae'n bwysig edrych yn ofalus ar yr holl bosibiliadau, ond mae'r dogfennau hanesyddol yn awgrymu y bu yma gastell, a does dim awgrym o gastell mwnt a beili arall yng nghyffiniau Castell Caereinion.

Rhaid cyfaddef mai siomedig, mewn ffordd, yw gweddillion y domen, ond mae ei ffurf gron yn awgrymu ei bod yn rhywbeth amgenach na thomen sbwriel, ac mae modd gweld awgrym o linell y beili ar gyrion y fynwent. Er hynny, awgrymaf mai ymweld â'r safle hwn er mwyn profi'r awyrgylch mae rhywun; dod yma i wneud cysylltiad â thywysogion Powys. Does dim angen gweld muriau anferth i wneud hynny.

Castell Mathrafal

Cyfnod: Canol Oesol
Cyfeirnod Map OS: SJ 131 107
Mae castell mwnt a beili Mathrafal i'w weld ar lan afon Banw neu Einion, yn agos iawn i'r A495 rhwng Llanerfyl a Meifod, a rhyw fymryn lleiaf i'r de o'r gyffordd â'r B4389. Bydd yr Eisteddfodwyr yn ein plith yn gyfarwydd â'r lleoliad gan fod y safle fwy neu lai gyferbyn â lle'r oedd maes Eisteddfodau Cenedlaethol 2003 a 2015. Gan fod y castell ar dir preifat does dim mynediad heb ganiatâd, ond mae modd gweld yr olion o'r ffordd yn ddigon hawdd.

Gwelir yma fwnt sydd yn lled grwn, yn mesur oddeutu 25m x 30m ac yn sefyll i uchder o 7m; a gweddillion beili tua 30m x 40m ar yr ochr dde-orllewinol. Saif y castell yng nghornel gogledd-ddwyreiniol lloc lled hirsgwar (neu siâp rhombws) sy'n mesur 90m x 80m. Amddiffynnir y beili a'r lloc allanol gan un ffos a chlawdd, heblaw'r darnau sy'n ffinio â'r afon lle nad oes clawdd i'w weld – un ai mae'r cloddiau wedi disgyn i'r afon dros y blynyddoedd neu mae'r afon wedi gweithredu fel llinell amddiffyn, ac nad oedd angen clawdd yn y lle cyntaf.

Does neb yn siŵr beth yw perthynas y lloc hirsgwar a'r castell mwnt a beili. Mae amheuaeth bod y lloc allanol yn un cynharach na'r castell, ond ar hyn o bryd tydi'r gwaith archaeolegol na'r arolygon geoffisegol ddim wedi gallu cadarnhau'r ddamcaniaeth honno. Mae posibilrwydd bod y lloc yn dyddio o gyfnod cynnar teyrnas Powys, rhywbryd ar ôl y 9fed ganrif, efallai – ond eto, un farn yw hon a does dim tystiolaeth archaeolegol i'w phrofi. Er hyn, awgryma Burnham (1995) fod posibilrwydd bod unrhyw ganolfan gynharach ar safle gwahanol rhywle yn y cyffiniau.

Awgrymir bod yr olion adeiladau a welir ar y safle yn perthyn i gyfnod diweddarach o adeiladau fferm, sy'n profi bod defnydd amaethyddol wedi ei wneud o'r safle ar ôl gorffen defnyddio'r castell.

Tomen Mathrafal

Byddwn wrth fy modd petawn i'n gallu datgan fod y castell yna'n un o gestyll tywysogion Powys, ond anodd iawn yw bod yn sicr o hyn. Y stori gyffredin, yn sicr ymhlith y Cymry, yw mai yma y cododd Owain Cyfeiliog (Owain ap Gruffudd, c1130–1197) ei gastell tua'r flwyddyn 1170 cyn i'w fab, Gwenwynwyn, godi castell newydd yn ddiweddarach yn y Trallwng (Domen Castell, SJ 230 074). Roedd Owain yn briod â Gwenllïan, un o ferched Owain Gwynedd, tywysog Gwynedd. Yn dilyn rhannu Powys yn ddwy yn 1160, i fod yn fanwl gywir, byddai Owain Cyfeiliog yn dywysog ar ran ddeheuol Powys neu Gyfeiliog, ac yn ystod teyrnasiad Gwenwynwyn ab Owain, mab Owain Cyfeiliog, y daeth y rhan yma o Bowys i gael ei hadnabod fel Powys Wenwynwyn. Byddai Owain wedi codi'r castell felly yn ystod teyrnasiad Harri II, ac yn wir bu i Owain ochri gyda Harri, penderfyniad fu'n dyngedfennol yn hanes Castell Caereinion.

Mae awgrym arall bod Castell Mathrafal wedi ei godi yn 1212 gan Robert de Vieuxpoint fel rhan o ymgyrchoedd y Brenin John yng Nghymru. Gwyddom, fel yn achos cestyll Rhodwydd a'r Fardre, fod posibilrwydd fod John wedi atgyweirio safleoedd Cymreig yn ystod ei ymgyrchoedd, felly erys y posibilrwydd fod dau gyfnod o ddefnydd i'r castell mwnt a beili ym Mathrafal. Ymosododd Llywelyn ab Iorwerth ar y castell yn ystod ei ymgyrchoedd yn erbyn Powys yn 1212.

Yn 1212 mae Mathrafal yn ymddangos gyntaf mewn dogfennau hanesyddol, a does dim sôn am y castell wedyn ar ôl y 15fed ganrif. Felly mewn gwirionedd does dim sicrwydd bod hwn yn gastell Cymreig, er mai dyma sy'n debygol o ystyried y rhagdybiaeth mai ym Mathrafal roedd prif lys tywysogion Powys. I ychwanegu at gymhlethdod dadansoddi safle fel hwn, cawn awgrym arall gan Helen Burnham fod posibilrwydd fod y tywysogion wedi mynd ati i greu'r cysylltiad rhwng safle Mathrafal a thywysogion cynnar Powys.

Bu gwaith cloddio archaeolegol yma yn ystod y 1980au gan C. J. Arnold a J. W. Huggett, ac awgrymwyd ganddynt fod y lloc allanol yn dyddio rhywbryd o ddechrau'r 13eg ganrif, a'i fod, o bosib, yn gysylltiedig â lloc maenor. Digon o waith fod y lloc yn dyddio o'r cyfnod ar ôl 1400 oed Crist. Ni ddarganfuwyd unrhyw wrthrychau ganddyn nhw o gyfnodau cyn y 13eg ganrif yn ystod eu gwaith cloddio. Byddai angen gwrthrychau neu ganlyniadau profion dyddio radiocarbon sicr er mwyn cadarnhau fod y lloc allanol yn wir yn gynharach na'r castell.

Gan fod y ddau safle mor agos i'w gilydd, mae modd cyfuno ymweliad â Chastell Mathrafal ac Eglwys Meifod. Crybwyllais y garreg fedd 9–10fed ganrif sydd yn yr eglwys ym Mhennod 5. Wrth i Owain Cyfeiliog roi tir i'r Sistersiaid ger y Trallwng ar gyfer sefydlu Abaty Ystrad Marchell yn 1170, mae'n debyg fod pwysigrwydd Meifod fel canolfan grefyddol wedi lleihau.

Hen Domen, Trefaldwyn
Cyfnod: 11eg–13eg Ganrif

Er ei bod yn anodd sicrhau mynediad i safle Hen Domen, rwyf am gyfeirio at y castell mwnt a beili hwn gan mai yma y bu i mi ddechrau ar fy ngyrfa archaeolegol, gan ddysgu technegau cloddio dan oruchwyliaeth Philip Barker yn ystod hafau'r 1970au hwyr a'r 1980au cynnar. Barker oedd hefyd yn gyfrifol am y gwaith cloddio mawr yn Viriconium yn Wroxeter, sef y gaer a'r dref Rufeinig ger Amwythig.

Adeiladwyd Hen Domen gan Roger de Montgomery rywbryd rhwng 1071 a 1086, felly mae yma enghraifft gynnar iawn o gastell mwnt a beili ar y Gororau/Mers. Yn 1216 rhoddodd y Brenin John y castell yng ngofal Gwenwynwyn o Bowys, ond yn fuan wedyn syrthiodd y castell i feddiant Llywelyn Fawr. Yn 1223 dechreuwyd ar y gwaith o godi Castell Trefaldwyn, a dyna ddiwedd ar hanes tywysogion Powys a Gwynedd yma yn Nhrefaldwyn.

O fewn rhyw filltir i Hen Domen mae Rhyd Chwima/Rhydwhyman, sef y rhyd ar draws afon Hafren, ond yn bwysicach byth safle arwyddo Cytundeb Trefaldwyn 1267 lle cafodd Llywelyn ap Gruffudd ei gydnabod yn dywysog Cymru. Gerllaw mae caer Rufeinig Ffordun (SO 206 988), a rhwng hen Domen a Chastell Trefaldwyn mae bryngaer Ffridd Faldwyn (SO 217969).

Y Cestyll Mwnt a Beili Cymreig

Tomen y Rhodwydd (tir preifat)

Map yr Ardal: OS Landranger 116
Cyfeirnod Map OS: SJ 177516
Man Cychwyn/parcio:
Ger Nant y Garth ar yr A525 (rhwng Rhuthun a Wrecsam)

Castell Caereinion (Twmpath Garmon)

Map yr Ardal: OS Landranger 125
Cyfeirnod Map OS: SJ 164055
Parcio: ger yr eglwys yng nghanol Castell Caereinion

Castell Mathrafal (tir preifat)

Map yr ardal: OS Landranger 125
Cyfeirnod Map OS: SJ 131107
Mae castell mwnt a beili Mathrafal i'w weld ar lan afon Banw neu Einion, yn agos iawn i'r A495 rhwng Llanerfyl a Meifod ger y gyffordd am Bontrobert/Llanfair Caereinion.

Pennod 8
Y Cestyll Cymreig: Ewlo, Caergwrle a Dolforwyn

Cyfnod: 13eg Ganrif

Er mwyn cynnig diffiniad o 'Gestyll Cymreig', rwy'n cyfeirio yma at y cestyll hynny a adeiladwyd gan y tywysogion Cymreig, nodwedd sy'n eu gwahaniaethu oddi wrth y 'Cestyll yng Nghymru' a adeiladwyd gan y Normaniaid, neu'n ddiweddarach gan y Saeson. Siawns nad oes angen atgoffa'r darllenydd nad oes y fath beth a 'Chastell Cymraeg' – er y byddai muriau sydd â'r gallu i siarad, fel yn yr hen ystrydeb, yn aruthrol o ddefnyddiol i haneswyr ac archaeolegwyr heddiw, o ystyried y prinder dogfennau hanesyddol sy'n ymwneud a'r cestyll Cymreig.

Rhaid cofio bod i nifer o'r cestyll hyn hanes cymhleth, a hyd yn oed yn achos rhai o'r cestyll a adeiladwyd gan dywysogion Gwynedd, rydym yn gwybod bod Edward I, er enghraifft, wedi ychwanegu at yr adeiladwaith – fel yn achos Dolbadarn, Dolwyddelan, Cricieth a Chastell y Bere yng Ngwynedd. O ganlyniad i hanes cythryblus Cymru bu cestyll Normanaidd megis Hen Domen dan ofal Llywelyn Fawr am gyfnod, a gwelodd cestyll fel Castell Caereinion (un o gestyll tywysogion Powys) ger y Trallwng ymosodiadau gan dywysogion Gwynedd a Deheubarth yn erbyn eu cyd-Gymry.

Awgrymaf, yn garedig, ein bod ni fel cenedl wedi anwybyddu'r cestyll Cymreig. Does dim pwrpas beio'r gyfundrefn addysg, sefydliadau'r Llywodraeth, athrawon gwael ac ati. Ni, a ni yn unig, sydd ar fai. Fy nadl bob amser yw bod angen i ni Gymry ailfeddiannu'n hanes ac ailberchnogi'r dirwedd hanesyddol – dim esgusodion.

Er gwaethaf hyn, mae dwy erthygl yn *Archaeologia Cambrensis* 2015 yn ymdrin â chestyll tywysogion Gwynedd a Phowys, y naill gan Hugh Brodie yn trafod y tyrau 'Cymreig' siâp D a'r llall gan David Stephenson yn ailystyried arwyddocâd lleoliad Castell Ewlo. O ystyried yr archwiliadau hyn ochr yn ochr â'r gwaith cloddio a wnaed gan Ymddiriedolaeth Archaeolegol Gwynedd yn ystod 2014, 2015 a 2016 ar safle Castell Carndochan, Llanuwchllyn, dyma awgrym fod archaeolegwyr nawr yn troi eu sylw at y cestyll Cymreig yng ngogledd Cymru.

Rhaid cyfaddef bod cysgod Edward I, a'r Safleoedd Treftadaeth Byd (cestyll Caernarfon, Harlech, Conwy a Biwmares) wedi hawlio siâr go dda o'r gacen. Mae hynny'n ddigon teg, mewn ffordd – gwelwn oddeutu 170,000 o ymwelwyr yng Nghastell Caernarfon bob blwyddyn a does dim modd dadlau ynglŷn â gwerth economaidd hynny i'r gymuned leol. Ond nid cystadleuaeth ddylai hi fod. Does yr un safle yn 'well' na'r llall mewn gwirionedd. Felly, dyma hawlio tipyn o sylw i'r cestyll Cymreig, yn angof a diarffordd – y safleoedd sy'n rhan mor bwysig o hanes Cymru – ac i'r rhai ohonoch sy'n mwynhau sŵn y wlad ac ychydig o dawelwch, diolchwch nad oes cannoedd o bobl ar gopaon Carndochan neu Dolforwyn bob dydd!

Un o'r nodweddion amlycaf yn nifer o'r cestyll Cymreig yw'r tŵr siâp D, a fedyddiwyd yn 'Welsh Tower' gan yr archaeolegydd

Tŵr siâp D, Castell Dolforwyn

ac Arolygydd cyntaf Henebion Cymru yn 1913, W. J. Hemp. Yn absenoldeb ffynonellau ysgrifenedig mewn nifer dda o achosion, dadl Hemp oedd bod y tŵr siâp D yn dynodi castell Cymreig o adeiladwaith tywysogion Gwynedd, ac yn awgrym o ddatblygiad adeiladwaith unigryw Cymreig yn ystod y 13eg ganrif gan y ddau Lywelyn, Llywelyn Fawr a Llywelyn ein Llyw Olaf.

Yr hyn sy'n ddiddorol, yn wleidyddol, yw bod tywysogion Gwynedd wedi datblygu eu harddull eu hunain, arddull Gymreig, o ran y tyrau – ac eto, yn eu hanfod, efelychu'r Normaniaid oedd y ddau Lywelyn wrth godi eu cestyll. Yn achos Castell Dolbadarn, onid efelychiad o'r tyrau crwn Normanaidd ar hyd y Mers yw'r gorthwr?

Tu mewn i'r tŵr siâp D yn Ewlo

Gallwn ddisgrifio'r tŵr siâp D fel tŵr hirsgwar gyda thalcen crwn neu gromfaol (*apsidal*), a chawn esiamplau amlwg ohono yng nghestyll Ewlo, Carndochan a Chastell y Bere. Dadl Brodie (2015) yw bod tŵr siâp D gogleddol Castell y Bere, lle mae tystiolaeth hanesyddol (*Brut y Tywysogion*) fod Llywelyn ab

Iorwerth wedi adeiladu'r castell o 1221 ymlaen, yn esiampl dda o un o'r tyrau cyntaf o'r fath.

Does dim tyrau tebyg yn y cestyll Seisnig, a gwelir y tŵr siâp D fel datblygiad unigryw Cymreig, yn bennaf yn perthyn i dywysogion Gwynedd heblaw'r eithriad yn Ninas Brân, un o gestyll tywysogion Powys Fadog. Ond hawdd fyddai i dywysogion Powys fod wedi efelychu adeiladwaith Llywelyn ab Iorwerth – neu, fel mae David Stephenson wedi ei gynnig, y bu cydweithio rhwng Llywelyn ap Gruffudd a Gruffydd ap Madog rywbryd yn ystod y 1260au ar Gastell Dinas Brân.

O droi ein sylw at eu maint, mae tyrau Ewlo, y Bere a thŵr deheuol Carndochan oll dros 15m o hyd, sy'n caniatáu digon o le ar gyfer neuadd neu le byw y tu mewn i'r tŵr. Byddai'r talcen crwn, neu gromfaol, wedi rhoi gwell golygfa i'r preswylwyr o unrhyw ymosodwyr y tu allan.

Rydym yn gwybod yn weddol sicr mai Llywelyn ap Gruffudd oedd yn gyfrifol am adeiladu Dolforwyn yn 1273. Yn achos Dolforwyn, a'r ail dŵr siâp D yng Ngharndochan, mae'r tyrau siâp D yn rhan o'r cysylltfur yn hytrach nag yn dyrau amlwg, ac o bosib felly yn cynrychioli datblygiad oddi wrth y tŵr siâp D hir tuag at rai llai yng nghyfnod Llywelyn ap Gruffudd. Dyna mae Brodie (2015) yn ei gynnig yn *Archaeologia Cambrensis*, ac yn sicr mae hon yn ddamcaniaeth sy'n werth ei hystyried o ddifri.

Tybed a adeiladwyd y tŵr siâp D deheuol yng Nghastell y Bere gan Lywelyn ap Gruffudd? Dyna'r farn gyffredinol nes y bydd rhywun yn profi'n ddigamsyniol i'r gwrthwyneb. Rydym yn gwybod, er enghraifft, i Lywelyn ap Gruffudd ychwanegu at Gastell Cricieth, a hyd yma mae'n amhosibl bod yn sicr a ychwanegodd ap Gruffudd at adeiladwaith Carndochan.

Mae'n anoddach dweud a yw'r ddau dŵr siâp D yng Ngharndochan o gyfnodau gwahanol o adeiladu. Awgryma gwaith cloddio Ymddiriedolaeth Archaeolegol Gwynedd yn ystod 2014–2016 fod gwahanol fortar yn rhai o'r tyrau, a all fod yn awgrym o wahanol gyfnodau o adeiladu, ac mae hyn yn cael ei grybwyll hefyd gan Brodie. Ond amhosibl ar hyn o bryd fyddai priodoli unrhyw adeiladu yng Ngharndochan i Lywelyn ap Gruffudd er bod hyn yn bosibilrwydd. Y tebygolrwydd yw mai

Carndochan o'r awyr
(trwy garedigrwydd Ymddiriedolaeth Archaeolegol Gwynedd)

adeiladwaith Llywelyn ab Iorwerth yw rhan helaeth o'r castell ond ceir awgrym fod y tŵr siap D deheuol o gyfnod gwahanol i rhai darnau eraill o'r castell.

Yn sicr, mae tŵr siâp D deheuol Carndochan yn hirach na'r tŵr cromfaol llai sy'n rhan o'r cysylltfur, ac felly beth bynnag yw'r cyfnod adeiladu, mae modd gwahaniaethu rhyngddynt ar sail hyd a'r lleoliad o fewn cynllun y castell. Canfuwyd lleoliad y fynedfa neu'r porth i Gastell Carndochan yn ystod cloddio 2015, sy'n dyst i bwysigrwydd y broses archaeolegol o ran dysgu mwy am y cestyll yma.

Castell Ewlo/Ewloe
Cyfnod: 13eg ganrif

Y gamp gyntaf yw dod o hyd i'r castell yma gan fod yr arwyddion yn bell o fod yn foddhaol a does dim modd gweld y castell o'r ffordd, sef y B5125 heibio i Ewlo i gyfeiriad Neuadd Llaneurgain (Northop Hall). Wedi ei guddio gan goed Parc Gwepra, rhaid i chi groesi cae cyn cyrraedd giât sy'n arwain at y castell, ac wrth gyrraedd y giât mae graffiti arfbais y tywysogion yn cadarnhau ein bod yn y lle cywir.

Beth bynnag y dadleuon cyffredinol ynglŷn â'r ffaith fod y cestyll Cymreig wedi eu hanwybyddu, yma yn Ewlo rwy'n ofni fod yn rhaid i mi gytuno â hwy. Dyma gastell sydd wedi ei anwybyddu'n llwyr, a hyd at waith diweddar Brodie a Stephenson, roedd bron yn angof. Ychydig o dystiolaeth hanesyddol ac ysgrifenedig sydd ar gael am y cestyll Cymreig, ond mae cofnod i Lywelyn ap Gruffudd godi castell 'yng nghornel y goedwig' oddeutu 1257. Roedd coedwig sylweddol yma yn ardal Ewlo yn ystod y Canol Oesoedd, yn ôl dogfen o 1311.

Mae dwy ddogfen o 1311 yn bodoli sy'n ymwneud ag Ewlo, ac ynddynt mae Payn Tibetot, Ustus Caer, yn adrodd wrth y brenin Edward II am dranc Ewlo. Does dim amheuaeth o'r dogfennau fod Llywelyn ap Gruffudd wedi adeiladu yma, ond y cwestiwn sy'n parhau heb ateb pendant iddo ar hyn o bryd yw a fu adeiladu yma yn wreiddiol gan Lywelyn ab Iorwerth. Mae un cyfeiriad, yr unig un i mi ei weld erioed, yn nhywyslyfr Castell Ewlo gan Renn ac Avent (2001) yn sôn bod gogwydd castell mwnt a beili i'r safle, ac efallai fod Owain Gwynedd wedi codi castell yma rywbryd cyn

Ewlo – y castell yn y coed

Grisiau'r cysylltfur

1170, ond mae'r ddau yn pwysleisio nad oes unrhyw dystiolaeth i brofi hyn.

A dweud y gwir, yn hyn o beth mae Castell Ewlo yn un dadleuol gan fod cymaint sy'n parhau heb ei ateb: pwy adeiladodd y castell a phryd, pam y dewiswyd yr union safle yma, a beth yn union oedd swyddogaeth y castell?

Yn ôl Burnham (1995) mae'n debygol bod hwn yn gastell a gafodd ei adeiladu o'r newydd, a dyna farn Beverley Smith (2001) hefyd, er bod Beverley Smith yn cynnig dyddiad hwyrach yn y 1260au ar gyfer yr adeiladu (awgrym sy'n cael ei wrthod gan David Stephenson (2015) ar y sail nad oedd Ewlo yn safle cryf yn filwrol o safbwynt Llywelyn ap Gruffudd ar y pryd).

Mae eraill yn awgrymu bod Llywelyn ap Gruffudd wedi atgyweirio castell oedd yma yn barod. Wrth ddisgrifio gwaith adeiladu Llywelyn ap Gruffudd yn y ddogfen sy'n dyddio o 1311, yn y Lladin defnyddir y term *affirmare*, a hyn sydd wedi arwain at y cwestiwn ai ail godi neu atgyweirio castell a wnaeth.

Dadl Stephenson yw bod y gair *affirmare* yn awgrymu cryfhau neu atgyweirio yn hytrach na chodi o'r newydd. Os felly, gallai Llywelyn ab Iorwerth fod wedi adeiladu castell yma rywbryd yn y 1220–30au. Gwyddom fod Llywelyn ap Iorwerth ar delerau da â Ranulph, Iarll Caer, yn y cyfnod cymharol sefydlog rhwng 1221 ac 1237, a byddai'r tŵr siâp D yn amlwg yn addas ar gyfer cynnal cyfarfodydd gwleidyddol pwysig. Mae'r tŵr siâp D hefyd yn hollol nodweddiadol o'r hyn a welir yng nghestyll Llywelyn ap Iorwerth.

Rydym hefyd yn weddol sicr mai yn ardal Coed Gwepra y bu'r frwydr rhwng Dafydd a Cynan (meibion Owain Gwynedd) a byddin Harri II yn 1157, ac mae hyn yn codi cwestiwn arall – a oedd arwyddocâd hanesyddol i'r safle? Os oedd hwn yn safle buddugoliaeth bwysig i dywysogion Gwynedd, a fyddai elfen gofadeiliol neu o ddathlu wrth ddewis codi castell yma? O ystyried Ewlo felly ochr yn ochr â chestyll y tywysogion yn Neganwy a Dinas Emrys, dyma i chi enghreifftiau o safleoedd gyda hanes hir a chwedlonol; ond a oedd hyn o bwys wrth ddewis lleoliadau ar gyfer codi cestyll?

Mae gwaith ymchwil diweddar David Stephenson yn ailystyried lleoliad penodol Castell Ewlo, safle nad yw, ar yr olwg gyntaf, yn un 'amddiffynnol', ac yn awgrymu bod arwyddocâd gwleidyddol yn hytrach na milwrol i'r castell. Byth ers i archaeolegwyr fel W. J. Hemp ddadansoddi Castell Ewlo yn y 1920au, mae wedi dod yn amlwg nad yw hwn yn safle amddiffynnol cryf – mae'r tir yn codi i'r de o'r castell ac mae clawdd allanol y castell gyferbyn â'r tŵr siâp D yn sefyll cwta 20

Bwa yng Nghastell Ewlo

troedfedd yn is na'r tŵr ei hun. Heblaw cuddio yn y goedwig, does dim synnwyr milwrol i'r castell yma, ac mae'r dewis o safle mor wahanol i'r cestyll eraill megis Dolbadarn, Dolwyddelan, Castell y Bere a Chricieth sydd ar greigiau amlwg yn y dirwedd.

Prin yw'r cyfeiriadau dogfennol at Ewlo yn ystod y 13eg ganrif, ond yn ôl Stephenson doedd y cestyll ddim o hyd yn cael eu henwi yn syth ar ôl eu hadeiladu.'Bach yr Anelau' oedd yr enw gwreiddiol ar Ddolforwyn, er enghraifft. Ceir cyfeiriad at Gwepra fel man cyfarfod rhwng swyddogion Harri III a Llywelyn ap Gruffudd yn 1259 ond erbyn 1267 a Chytundeb Trefaldwyn, mae'n ymddangos fod Rhyd Chwima ar afon Hafren ger Trefaldwyn yn cael ei ystyried yn fan pwysicach neu fwy addas ar gyfer cyfarfodydd o'r fath.

Mae cyfeiriad arall at Gwepra yn ystod y cyfnod pan oedd Dafydd ap Llywelyn yn brwydro yn erbyn Harri III rhwng 1244 ac 1246. Rheswm arall a all egluro pam y bu i Gastell Ewlo fynd yn angof yw bod y safle wedi colli unrhyw arwyddocâd a defnydd ar ôl concwest Edward I yn 1277, a does dim hanes pellach i'r safle.

Nodwedd archaeolegol ddiddorol arall, yn ogystal â'r tŵr siâp D amlwg, yng Nghastell Ewlo yw'r *glacis*, sef y cerrig llyfn sydd wedi eu gosod ar y graig naturiol ar hyd gwaelod y castell ger y ffos ddwyreiniol er mwyn rhwystro taflegrau. Haenen ychwanegol o amddiffynfa oedd y *glacis*, sy'n awgrymu bod elfen o soffistigeiddrwydd ynghlwm ag adeiladu'r castell hwn.

Rhaid wrth dystiolaeth archaeolegol neu olion pendant i brofi bod dau gyfnod i'r castell, felly mae arbenigwyr yn tueddu i gasglu mai yn 1257 yr adeiladwyd Castell Ewlo, a hynny gan Lywelyn ap Gruffudd. Ond mae'n rhaid i mi gyfaddef, wrth edrych ar y ddwy ward (neu fuarth), yr uchaf a'r isaf, mae'n ymddangos bod cysylltfur y ward isaf wedi ei adeiladu yn erbyn cysylltfur y ward uchaf. Felly mae awgrym o wahanol gyfnodau adeiladu, gan nad yw'r ddau gysylltfur wedi eu hadeiladu ynghlwm wrth ei gilydd. Mae hyn i'w weld orau yng nghornel dde-ddwyreiniol y ward gwaelod, lle mae'r cysylltfur yn gorwedd yn erbyn y cysylltfur uchaf sydd yn amgylchu'r tŵr siâp D. Gwelwn hefyd fod wal gynnal ychwanegol wedi ei chodi yma, fel petai i atgyfnerthu'r man cyfarfod rhwng y ddau gysylltfur.

Gellir awgrymu bod y tŵr crwn gorllewinol wedi ei adeiladu

ar yr un pryd â chysylltfur y ward isaf gan fod y cerrig wedi eu cloi wrth adeiladu. Rhaid cyfaddef, wrth edrych ar gynllun Castell Ewlo, fy mod yn cael yr argraff fod y ward isaf wedi ei ychwanegu at y ward uchaf – ond y cwestiwn mawr, wrth gwrs, ydi pryd? Ydi hyn yn awgrym i'r ddau Lywelyn fod yma wedi'r cwbl? Does dim tystiolaeth bendant na dyddio radiocarbon i brofi hyn.

Beth bynnag yw hanes adeiladu Castell Ewlo, dyma i chi gastell gwerth ymweld ag ef, ac un a chwaraeodd ran bwysig yn ein hanes ar un cyfnod wrth i dywysogion Gwynedd ymestyn eu dylanwad i'r dwyrain.

Castell Caergwrle

Cyfnod: castell: 13eg ganrif ac olion bryngaer: 4–5ed ganrif

Arwyddocâd Castell Caergwrle o safbwynt hanes Cymru yw mai o'r fan yma yr ymosododd Dafydd ap Gruffudd ar Benarlâg yn 1282 – hyn, wrth gwrs, a gychwynnodd yr ail ryfel yn erbyn Edward I, ac a arweiniodd cyn diwedd y flwyddyn honno at farwolaeth Llywelyn II ger afon Irfon yng Nghilmeri. Mae canlyniadau'r rhyfel olaf hwnnw yn 1282 yn parhau i effeithio ar wleidyddiaeth y genedl Gymreig hyd heddiw.

Er pwysigrwydd Caergwrle yn hanes Cymru, wrth sgwennu yn 1974 mae Cathcart King yn sôn am *'low prestige of the castle'* ac yn awgrymu, oherwydd tyfiant afreolus, nad yw'n werth ymweld â'r castell yn nhymor yr haf. Yn wir, meddai Cathcart King, bu i gymdeithas Cambrian yrru heibio ar eu hymweliad â Wrecsam yn 1973 heb sôn o gwbl am y castell, dyna mor anweladwy oedd y safle yn y 1970au.

Ceir tystiolaeth ddogfennol fod Edward I wedi rhoi tir yma i Dafydd ap Gruffudd oherwydd iddo ochri gydag Edward yn erbyn ei frawd (Llywelyn ap Gruffudd) yn ystod rhyfel 1277. Felly yn achos Caergwrle rydym yn weddol sicr mai Dafydd ap Gruffudd sy'n gyfrifol am yr adeiladwaith gwreiddiol. Ond mae'r llechen sy'n ein croesawu ar waelod y llwybr i'r castell (ger y gofeb Ryfel) yn datgan (yn anghywir, felly) mai Edward I sy'n cael ei gydnabod fel yr adeiladydd. Bu i Edward adnewyddu ychydig ar y castell ar ôl cwymp Llywelyn ap Gruffudd.

Saif y castell ar ben bryn amlwg yn edrych dros ddyffryn Alun, a lleolwyd y castell yno yn y 13eg ganrif er mwyn rheoli'r dyffryn a'r drafnidiaeth o ardal Caer i gyfeiriad gogledd Cymru – dyma'r dyffryn sy'n cysylltu ardal Wrecsam â'r Wyddgrug. Mewn rhai cofnodion Seisnig mae cyfeiriadau at y castell hwn fel *Hope Castle* a'r dref fel *Hope ad Castrum*, sef 'Hob o dan y Castell'. Heddiw, mae Caergwrle a'r Hob yn ddau bentref ar wahân, er eu bod yn agos iawn i'w gilydd.

Pentref Seisnig wedi ei sefydlu gan Edward I, ger neu o dan y castell, yw Caergwrle, a defnyddiwyd yr enwau *Kaierguill*, *Caergorlei* a *Caergwrlai* yn ystod y 13eg a'r 14eg ganrif. Does dim eglwys blwyf yma – mae'r eglwys agosaf ym mhentref cyfagos yr Hob, gan awgrymu ymhellach felly mai'r Hob yw'r pentref gwreiddiol a Chaergwrle wedi datblygu yn sgil adeiladu'r castell yn y 13eg ganrif.

Dyddia eglwys Sant Cynfarch a Sant Cyngar yn yr Hob o'r cyfnod Normanaidd ac mae'n debygol bod yr adeilad carreg yno o'r 12fed neu'r 13eg ganrif. Mae'n bosib bod y safle ei hun yn un sydd â'i hanes yn dyddio o Oes y Seintiau a'r Canol Oesoedd cynnar. Ar wal ddwyreiniol ystlys ddeheuol yr eglwys gwelir darn o groes garreg Gristnogol sydd wedi ei ddyddio gan Nancy Edwards o Brifysgol Bangor o'r 9fed ganrif. Dyma awgrym arall bod defnydd cynharach i'r safle o flaen yr eglwys Normanaidd. Daethpwyd o hyd i'r groes mewn rwbel wrth atgyweirio'r eglwys.

Amgylchir copa'r bryn lle saif Castell Caergwrle gan glawdd a ffos amlwg, ac awgryma profion dyddio radiocarbon fod y rhain yn perthyn i fryngaer o'r cyfnod Rhufeinig hwyr neu ôl-Rufeinig cynnar. Oherwydd ansefydlogrwydd a bygythiadau o'r môr ar ddiwedd y cyfnod Rhufeinig, roedd rhai bryngaerau yn cael eu hailddefnyddio yn y cyfnod yma, a rhai cadarnleoedd amddiffynnol yn cael eu hadeiladu ar ben bryniau o'r newydd.

Wrth gyrraedd copa'r bryn rydym yn croesi'r clawdd, ac mae modd dilyn llinell y clawdd a'r ffos wrth gerdded ar ochrau gogleddol a dwyreiniol y copa. Saif y castell ar ochr ddeheuol y bryn, ac awgryma olion chwarel gerrig ar yr ochr orllewinol fod rhan o'r clawdd ôl-Rufeinig hwn wedi ei golli neu ei chwalu o

Yr Hob – carreg groes

ganlyniad i'r chwarelydda. Does dim olion chwaith o gysylltfur gorllewinol y castell, felly rhaid ystyried y posibilrwydd fod y chwarel gerrig wedi dinistrio rhan o'r gaer ôl-Rufeinig yn ogystal â'r castell canoloesol. Mae'n debyg i'r chwarel gael ei hagor rywbryd yn y 18fed ganrif ar gyfer y garreg grut melinfaen (*millstone grit*).

Cyrhaeddwn y castell canoloesol ar fan uchaf deheuol y bryn. Y farn gyffredin yw na chwblhawyd y gwaith adeiladu gan Ddafydd ap Gruffudd yn 1277, ond eto roedd y castell yn ddigon gorffenedig iddo ymosod ar Benarlâg oddi yma yn 1282. Awgryma Helen Burnham (1995) fod pensaernïaeth y castell yn adlewyrchiad o ddeuoliaeth Dafydd o ran ei duedd i rannu ei deyrngarwch rhwng y Cymry a'r Saeson, a bod yma nodweddion pensaernïol Seisnig o fewn cynllun sydd yn ei hanfod yn un Cymreig. Efallai i Ddafydd gael cyngor a chymorth penseiri o Saeson? Mae hyn yn rhywbeth mae Cathcart King (1974) hefyd yn ei gynnig.

Dim ond ar yr ochr ddwyreiniol mae'r cysylltfur wedi goroesi, a chawn dyrau o'r arddull Seisnig (talcen crwn neu gromfannau

Cysylltfur dwyreiniol Castell Caergwrle

aflem) i'r gogledd a'r de-ddwyrain, a thŵr crwn i'r de. Saif y cysylltfur dwyreiniol i uchder parchus – er nad yw'n gyflawn mae'n ddarn trawiadol o wal, ac mae'r ffos allanol yn amlwg yn rhedeg yn gyfochrog â'r cysylltfur gyda mymryn o glawdd (*counterscarp*) wedyn ar du allan y ffos.

Does dim llawer o'r tŵr crwn (y tŵr deheuol) wedi goroesi, a'r unig awgrym ohono yw darnau o'r sylfaen sydd i'w gweld fel chwarter cylch isel ger y graig naturiol ar yr ochr yma i'r castell. Does dim cysylltfur o gwbl i'w weld ar ochr orllewinol y castell rhwng y tyrau gogleddol a deheuol, a chôd cwestiwn amlwg felly – a gwblhawyd yr ochr yma erioed, ynteu a ddinistriwyd unrhyw waliau yn ddiweddarach, gan Ddafydd ap Gruffudd efallai, rhag i Edward ddefnyddio'r castell yn 1282, neu oherwydd y chwarel gerrig grut? Rhaid nodi mai dyma ochr fwyaf serth y bryn, ac o'r herwydd dyma'r ochr y mae leiaf angen ei hamddiffyn, ond er hyn byddai'n beth od iawn gweld castell heb gysylltfur llawn.

Gwelir olion popty bara crwn ger y tŵr dwyreiniol, hefyd gweddillion bwa hyfryd a fyddai wedi bod dros borth y tŵr dwyreiniol ynghlwm â'r cysylltfur. O edrych yn fanwl, mae sawl nodwedd ddiddorol wedi goroesi o amgylch y castell.

Wrth edrych ar y tŵr gogleddol o'r tu allan, gwelwn dyllau yn y wal ar gyfer gwagio'r tai bach a thyllau ar gyfer fframwaith y lle tân mewnol. Mae'n hollol amlwg hefyd fod y cerrig a oedd wedi eu trin a'u siapio ar gyrsiau isaf y tŵr wedi cael eu dwyn neu eu hailgylchu a'u hailddefnyddio dros y blynyddoedd. Achosodd hyn

134

wendid yn y twr yn y blynyddoedd diweddar, a bu'n rhaid i archaeolegwyr, dan ofal John Manley, wneud gwaith cynnal a chadw yma yn ystod y 1980au hwyr (Manley, 1994).

Bwa Castell Caergwrle

Wrth ystyried cynllun Castell Caergwrle byddai'r lleygwr yn gofyn pam nad yw'r twr gogleddol yn enghraifft o dwr siâp D, ac yn dangos dylanwad yr hyn adeiladwyd yn flaenorol gan dywysogion Gwynedd. Trafodais hyn gyda Hugh Brodie, ac un o'i awgrymiadau oedd bod Dafydd wedi gofyn am dwr siâp D yn y dull Cymreig ond efallai i'r penseiri Seisnig ddehongli hyn yn y dull Seisnig o adeiladu. Rydym ymhell o gynnig unrhyw awgrym pendant. Mae trafodaethau rhwng archaeolegwyr ac arbenigwyr yn bwysig iawn mewn achosion fel hyn gan fod cael ateb pendant mor anodd.

Dadl Cathcart King (1974) yw bod nodweddion Seisnig i'r twr gogleddol ac nad yw'n nodweddiadol o'r tyrau hirach siâp D Cymreig. Gwelwn fod ochr gromfaol y twr gogleddol yn cwrdd â'r cysylltfur ar ongl, ac

Y twr gogleddol

mewn gwirionedd does dim wal ddwyreiniol i'r tŵr – hyn sy'n ei wneud yn wahanol i'r tyrau siâp D Cymreig lle ceir elfen hirsgwar i'r tyrau, wedyn yr ochr gromfaol. Esbonia Cathcart King, '*the ground-plan of the North and East Towers is English rather than Welsh.*' Yr ongl gysylltiol rhwng y tŵr a'r mur ('*meeting the straight flank in a distinct angle*') yw'r nodwedd sy'n dod ag ef i'r casgliad mai Seisnig yw'r prif ddylanwad yma.

Mewn gwirionedd, er bod lle i drin a thrafod y ddeuoliaeth yma o ran dylanwadau pensaernïol a gwleidyddol Dafydd ar ôl 1277, wrth iddo ochri gydag Edward yn hytrach na'i frawd, Llywelyn, y farn gyffredinol yw mai dylanwad Seisnig sydd i'r tyrau a bod y cysylltiad â'r dulliau adeiladu Cymreig ar y gorau yn amwys, fel yr awgrymodd Brodie yn ystod fy sgwrs ag ef.

I droi at hanes pellach y castell, yn dilyn dechrau'r rhyfel yn 1282, bu i'r Cymry lenwi'r ffynnon a dinistrio darnau o'r castell, a hynny ym mis Mehefin, rhag iddo gael ei ddefnyddio gan y Saeson. Ond gwnaethpwyd gwaith atgyweirio wedyn gan Edward, a roddodd y castell i'w wraig, Elinor, y flwyddyn ganlynol. Llosgodd y castell cyn i Edward gwblhau'r gwaith atgyweirio, a throsglwyddwyd y castell yn ei dro i'w fab, Edward II (Edward Caernarfon). Yn 1308 rhoddwyd y safle i John of Cromwell ar yr amod ei fod yn atgyweirio'r castell, ond erbyn 1335 roedd y castell mewn cyflwr truenus.

Yn ystod gwaith archaeolegol Manley ar ddiwedd y 1980au darganfuwyd olion adeiladau pren oddi mewn i furiau'r castell yn ogystal â mannau lle bu gweithio mortar a cherrig – sy'n awgrymu na chwblhawyd y gwaith atgyweirio gan Edward I. Doedd dim i awgrymu i ba gyfnod y perthynai'r adeiladau pren, nac ai perthyn i'r Cymry ynteu'r Saeson yr oeddynt. Dyw darganfod olion adeiladau pren o fewn muriau cestyll ddim yn anghyffredin – yn aml, adeiladau pren fyddai'n cael eu defnyddio fel gweithdai, stordai neu stablau.

Ymosododd Glyndŵr ar bentref Caergwrle yn 1403 gan losgi'r dref yn gyfan gwbl. Digon o waith fod unrhyw ddefnydd yn cael ei wneud o'r castell erbyn cyfnod Glyndŵr, ac fel cynifer o'r cestyll Cymreig doedd fawr o ddefnydd mewn gwirionedd iddo ar ôl Concwest Edward I.

Castell Dolforwyn
Cyfnod: Tywysogion Gwynedd

Efallai mai'r peth pwysicaf am Gastell Dolforwyn yng nghyddestun hanes Cymru yw mai Llywelyn ap Gruffudd a'i cododd yn 1273, gwta bedair milltir i ffwrdd o gastell Harri III yn Nhrefaldwyn, a thrwy wneud hyn heriodd awdurdod brenin Lloegr. Gorchmynnwyd Llywelyn i atal y gwaith adeiladu, ond anwybyddu'r gorchymyn wnaeth o, ac o ganlyniad ymosododd Edward I ar Ddolforwyn yn ystod ei ymgyrchoedd yng Nghymru yn 1277.

Adeiladwyd Castell Trefaldwyn (Cyfeirnod Map OS: SO 221967) ar ôl 1223 (rhwng 1224 ac 1233) ar safle mwy amddiffynnol na'r castell gwreiddiol yn Hen Domen (Cyfeirnod Map OS: SO 213980) yn ystod cyfnod ymgyrchoedd Harri III yn erbyn Llywelyn Fawr. Bu farw Harri III ym mis Tachwedd 1272, ond roedd ei fab, Edward I, allan yn ymladd yn rhyfeloedd y Groes ac ni ddychwelodd adref i Loegr tan Awst 1274 (gweler Pennod 7, Hen Domen).

Castell Trefaldwyn

137

Yn dilyn Cytundeb Trefaldwyn ar 29 Medi 1267, roedd Llywelyn yn cael ei gydnabod yn dywysog Cymru gan Harri III, ond o fewn deng mlynedd roedd wedi colli'r rhan fwyaf o'i diroedd. Erbyn 1277 a Chytundeb Aberconwy, dim ond Gwynedd (i'r gorllewin o afon Conwy) oedd dan ei reolaeth.

Mae'n werth crybwyll arwyddocâd Rhyd Chwima (Cyfeirnod Map OS: SO 207 984) yma fel lleoliad arwyddo Cytundeb Trefaldwyn. Rhyd yn croesi afon Hafren yw Rhyd Chwima a gerllaw mae safle'r gaer Rufeinig, Caer Ffordun (Cyfeirnod Map OS: SO 208989). Fe all fod y rhyd wedi'i defnyddio gan y Rhufeiniaid – yn wir, mae hynny'n weddol debygol – a defnyddiwyd yr enw Horesford ar y rhyd gan y Normaniaid. Erbyn cyfnod tywysogion Gwynedd cawn yr enwau Rhydwhiman neu Rhydwhyman arni, ac enw arall gan y Saeson, *Vadum Aquae de Mungumery* sef Rhyd Trefaldwyn. Diflannodd unrhyw arwyddocâd pellach i Ryd Chwima fel man cyfarfod gwleidyddol ar ôl concwest Edward I (Gweler Pennod 11, Eglwys Ffordun).

Cawn gyfeiriad at Ddolforwyn fel 'Virgin's Meadow', sydd o

Castell Dolforwyn

138

bosib yn gysylltiad â chwedl Sabrina, sef merch un o frenhinoedd cynnar Lloegr, yn ôl adroddiad Sieffre o Fynwy. Efallai fod yr enw Sabrina yn tarddu o'r hen enw Rhufeinig/Lladin ar afon Hafren – o *Habren* efallai? Yr hen enw lleol Cymreig ar safle Dolforwyn oedd Bach yr Anelau.

Yn dilyn cwymp Dolforwyn rhoddwyd y tir a'r castell i'r teulu Mortimer, ond buan iawn y symudodd Roger Mortimer ei ganolfan i'r dref newydd (sef y Drenewydd/Newtown) yn 1279. Yn ôl Burnham (1995), roedd Dolforwyn yn adfeilio erbyn 1398. Yn ddiddorol iawn, er iddynt ymladd yn aml yn erbyn ei gilydd, roedd Roger Mortimer a Llywelyn ap Gruffudd yn wyrion i Lywelyn Fawr. Roedd Roger yn fab i Gwladus Ddu, un o ferched Llywelyn ab Iorwerth a Siwan (merch y Brenin John).

Saif Castell Dolforwyn ar ysgwydd o graig uwchben Dyffryn Hafren, er y bydd yr ymwelydd heddiw yn ei chael hi'n anodd iawn gweld y castell o'r ffordd fawr rhwng y Trallwng a'r Drenewydd oherwydd yr holl goed. Ond yn ei gyfnod byddai'r castell wedi bod yn fan gwylio pwysig dros y rhan yma o Ddyffryn Hafren.

Wrth gyrraedd y castell o'r de-orllewin, a hynny drwy ddilyn y llwybr troed swyddogol, rydym yn croesi'r safle lle sefydlwyd y dref Gymreig gan Lywelyn ap Gruffudd, ac o edrych yn ofalus gwelir ambell lwyfan neu blatffform lle safai'r adeiladau. Y tu allan i'r castell roedd y dref, felly, ac wrth gyrraedd y castell ei hun rydym yn croesi ffos sylweddol lle byddai pont godi wedi cysylltu'r dref a'r castell.

Oherwydd daearyddiaeth a daeareg yr ardal mae cynllun y castell wedi ei lunio i raddau helaeth gan y dirwedd, a chawn gynllun hirsgwar i'r castell gyda thri thŵr, un sgwâr i'r gorllewin, un siâp D nodweddiadol Gymreig ar y cysylltfur gogleddol a thŵr crwn i'r dwyrain. Bu archaeolegydd o'r enw Laurence Butler yn cloddio yma yn ystod y 1980au ac iddo ef mae'r diolch bod cymaint o'r castell i'w weld heddiw. Datgelodd ei waith cloddio fod gwaith cynnal a chadw ac atgyweirio wedi ei wneud i'r gorthwr/castell yng nghyfnod Mortimer. Yn ogystal, darganfuwyd cerrig crwn gan Butler fyddai wedi cael eu defnyddio fel taflegrau *siege engines* o amgylch y safle – tybed oedden nhw yn ganlyniad i'r ymosodiad yn 1277 gan Edward I?

Dolforwyn tu mewn

Awgryma Burnham (1995) fod Dolforwyn yn bodoli fel castell Cymreig cyn cyfnod adeiladu Llywelyn ap Gruffudd yn 1273, er nad oes tystiolaeth archaeolegol bendant fod castell wedi sefyll yma cyn 1273. Ar wefan *Archwilio* mae cyfeiriad hefyd at bosibilrwydd bod caer o'r Oes Haearn ar y safle, ond yn absenoldeb tystiolaeth bellach o hyn, fel un o gestyll Llywelyn ap Gruffudd yr ydym yn ystyried Dolforwyn.

Anodd yw bod yn siŵr, felly, pa mor fanwl gywir oedd Richard Williams yn 1901 pan awgrymodd fod Bleddyn ap Cynfyn, tywysog Powys, wedi adeiladu castell yma oddeutu 1065–1073 fel prif ganolfan arglwyddiaeth Cedewain. Os oedd adeiladwaith Cymreig yma ar ôl dyfodiad y Normaniaid, byddai rhywun yn disgwyl castell o bren a phridd (rhyw ffurf ar fwnt a beili, efallai?), ac o ganlyniad byddai unrhyw olion wedi diflannu wrth i Lywelyn adeiladu ei gastell yn ddiweddarach. Awgryma Williams hefyd mai Dafydd ap Gruffudd a adeiladodd Dolforwyn yn 1262 – ond wyddom ni ddim ar ba sail mae'n awgrymu hyn. Rydw i'n hapus i gytuno â Williams, fodd bynnag, i Mortimer fod yma rywbryd ar ôl 1277 am gyfnod byr yn dilyn cwymp Llywelyn.

Ceir awgrymiadau eraill hefyd ynglŷn â phwy gododd Dolforwyn. Awgryma gŵr o'r enw Dugdale mai Dafydd ap Llywelyn oedd yn gyfrifol, ac mae John Lloyd yn awgrymu enw Maredudd ap Rhobert (sefydlydd Sistersiaid Llanllugan). Rhaid cyfaddef fod y damcaniaethu hanesyddol yn ddigon diddorol, ond rhywsut mae rhywun yn amau faint o sail sydd i'r holl ddamcaniaethu.

Cawn dystiolaeth bellach fod Dolforwyn wedi gweld ei dyddiau gorau yn 1279, gyda Siarter 16 Ionawr y flwyddyn honno i gynnal marchnad ar ddydd Mawrth yn Llanfair Cedewain (Drenewydd). Erbyn heddiw pentref Aber-miwl yw'r pentref agosaf at Ddolforwyn.

Oherwydd gwaith cloddio Butler mae'n werth ymweld â chastell Dolforwyn. O ran maint, mae'n agosach i Gastell y Bere na'r cestyll Cymreig llai megis Dolbadarn a Dolwyddelan. Does dim modd dringo'r tyrau, ond mae'r ystafelloedd a chynllun y castell yn ddigon clir, a gallwch weld y ffynnon a'r tŵr siâp D yn y cysylltfur gogleddol.

Graffiti

Yn fy nghyfrol gyntaf, *Cam i'r Gorffennol*, awgrymais fod graffiti'r FWA (Free Wales Army) yn rhan o'r dirwedd archaeolegol, ac yn sicr ni all neb ddadlau nad yw hanes yr FWA yn rhan bwysig a hynod ddiddorol o hanes Cymru yn ystod ail hanner yr 20fed ganrif. Am hanes yr FWA gweler *To Dream of Freedom* (Clews, 1980). Nodais hefyd fod nifer o enghreifftiau o graffiti'r FWA o amgylch Cymru yn ddiweddar yn hytrach nag o'r 1960au pan oedd y FWA yn weithgar.

Mae'r un peth yn wir am yr enghreifftiau o graffiti a welir ger rhai o gestyll tywysogion Gwynedd. Graffiti diweddar yw'r rhain, ond eto, gan eu bod yn olion materol dyn, teimlaf ei bod yn briodol eu cynnwys fel rhan o'r dirwedd archaeolegol ac o'r cyd-destun ehangach. Arwydd yw'r graffiti fod y safleoedd yma'n dal yn bwysig heddiw o safbwynt gwleidyddiaeth, neu genedlaetholdeb, y person sy'n dal y pot paent.

Castell Ewlo

Wrth groesi'r cae o'r de tua'r castell (o gyfeiriad yr B5125) bydd yr ymwelydd yn cyrraedd giât ym mhen pella'r cae, ac ar y ddau bostyn gwelir arfbais tywysogion Gwynedd (a ddefnyddiwyd gyntaf gan Iorwerth Drwyndwn), sef y pedwar llew a'r lliwiau coch a melyn. O dan arfbais tywysogion Gwynedd gwelwn y tri eryr ar gefndir gwyrdd, sef arfbais Owain Gwynedd.

Graffiti Castell Ewlo

Er bod awgrym gan Renn ac Avent (2001) yn eu tywyslyfr ar Gastell Ewlo bod y safle'n ymdebygu i safle castell mwnt a beili, mae'r ddau'n pwysleisio nad oes unrhyw dystiolaeth o hynny. Os felly, does dim modd cadarnhau bod unrhyw gysylltiad rhwng Owain Gwynedd a'r safle. Beth yn union oedd ym meddwl yr arlunydd graffiti, felly, wrth gynnwys arfbais Owain Gwynedd?

Castell y Bere

Wrth gyrraedd Castell y Bere, ychydig cyn y bont droed gyntaf, gwelwn arfbais tywysogion Gwynedd ar ochr adeilad sydd ar y llaw dde i'r llwybr troed. Y bwriad, mae'n debyg, oedd cwblhau'r gwaith, ond gwelwn na fu i'r arlunydd orffen y llewod.

Graffiti Castell y Bere

Castell Dolforwyn

Fel gyda graffiti Castell y Bere, gwelwn fod arfbais tywysogion Gwynedd yma yn anorffenedig, ond bod cysegrfan fach o gerrig o flaen y graffiti yma. Does dim i dystio mai'r un person oedd yn gyfrifol am y gysegrfan, neu'r pentwr o gerrig, a'r graffiti. Efallai fod rhywun wedi ychwanegu'r cerrig yn ddiweddarach?

Sycharth

Yn Sycharth cawn faner ar goeden, felly nid graffiti fel y cyfryw ydyw. Ond eto, mae'n dystiolaeth fod cenedlaetholwyr yn mynychu'r safle ac yn awyddus i adael eu hôl.

Graffiti Castell Dolforwyn

Graffiti yn Sycharth

Y Cestyll Cymreig: Ewlo, Caergwrle a Dolforwyn

Castell Ewlo

Hyd y daith: 10 munud o gerdded
Map yr Ardal: OS Landranger 117
Cyfeirnod Map OS: SJ 288675
Graddfa: Cymedrol – croesi cae ar lwybr cyhoeddus.
Man Cychwyn/parcio: Cilfan Barcio Gwepra ar y B5125, neu mae modd parcio ym Mharc Gwepra a dilyn y llwybrau ar hyd Ffrwd Gwepra am y castell – mae mwy o waith cerdded o'r ochr yma.

O gyfeiriad Ewlo dilynwch y B5125 i gyfeiriad Neuadd Sychdyn/Northop Hall gan fynd ar draws y gylchfan (o dan yr A55/A494). Cadwch i'r dde wrth y Boar's Head (arwydd am Gastell Ewlo) a bydd y gilfan ar eich llaw dde mewn 0.5 milltir. Dilynwch yr arwydd brown am Barc Wepra, ewch trwy'r giât mochyn a chroeswch y cae i gyfeiriad y gogledd. Mae giât a phostyn gyda graffiti arfbais tywysogion Gwynedd ar derfyn y cae. Dyma'r fynedfa i Goedwig Wepra, a bydd y castell o'ch blaen ychydig i'r chwith. Dilynwch y grisiau i lawr at fynedfa'r castell.

Castell Caergwrle

Hyd y daith: 10–15 munud o gerdded
Map yr Ardal: OS Landranger 117
Cyfeirnod Map OS: SJ 307572
Parcio: Maes parcio cyhoeddus yng nghanol pentref Caergwrle. Mae Caergwrle ar yr A541 rhwng Wrecsam a'r Wyddgrug.
Graddfa: Cymedrol er bod rhai darnau serth ar y llwybr.
Man Cychwyn: Llwybr ger Cofeb y Rhyfel Mawr, Caergwrle. Gwelir arwydd am y castell yma.

Dilynwch y llwybr sy'n dechrau ychydig i'r chwith o gofeb y Rhyfel ger y gyffordd rhwng Ffordd y Castell a Ffordd Wrecsam. Mae darnau serth a rhai grisiau pren a all fod yn wlyb a mwdlyd. Gall y tir fod yn wlyb yn y gaeaf.

Castell Dolforwyn

Hyd y daith: 15 munud o gerdded
Map yr Ardal: OS Landranger 136
Cyfeirnod Map OS: SO 152950
Graddfa: Cymedrol er bod rhai darnau serth ar y llwybr.
Man Cychwyn: Maes parcio Cadw ger y llwybr am y castell.

Trowch oddi ar yr A483 (sef y ffordd o'r Trallwng i'r Drenewydd) ger Aber-miwl a dilynwch yr arwyddion brown am y castell. Bydd y ffordd yn arwain at westy Neuadd Dolforwyn ond cadwch i'r chwith cyn cyrraedd y gwesty a dilynwch y ffordd i'r chwith wedyn i fyny'r allt nes cyrraedd y gilfan ar y chwith o fewn tua milltir. Hon yw'r ffordd o dan y castell gyda Dyffryn Hafren ar eich llaw chwith islaw. O'r gilfan fe welwch y llwybr am y castell.

Castell Carndochan, Llanuwchllyn

Hyd y daith: 30 munud o gerdded
Map yr ardal: OS Landranger 125
Cyfeirnod Map OS: SJ 847306
Graddfa: Anodd gyda rhai darnau serth a gwlyb ar y trac a llwybr y mynydd.
Man Cychwyn: Parcio ar ochr y ffordd yn y goedwig.

Trowch oddi ar yr A494 (sef y ffordd o Lanuwchllyn i'r Bala) gan ddilyn yr arwyddion am Drawsfynydd. Ewch heibio'r Hen Gapel ac yn y gyffordd ewch dros y bont gan groesi afon Lliw, a chymryd y troad cyntaf i'r dde. Ewch heibio Tan y Castell ar y chwith ac o'r fan hyn ymlaen mae'r ffordd yn un arw, heb fawr o darmac arni. Dilynwch y ffordd heibio'r generadur hydro (ar y chwith) ac i mewn i'r goedwig gan barcio'n ofalus a pheidio rhwystro'r ffordd.

Cerddwch heibio'r generadur hydro gan ddilyn y trac i fyny'r mynydd nes byddwch yn cyrraedd darn gwastad, cyn anelu at gopa Carndochan. Mae hon yn allt serth iawn.

Pennod 9
Sycharth, Llansilin

Cyfnod: Canoloesol

Mae Sycharth, prif gartref Owain Glyndŵr, mewn man cuddiedig yn nyffryn afon Cynllaith, sydd yn ei thro yn llifo o'r gogledd i Ddyffryn Tanat. Yn ddaearyddol rydym rhwng pentrefi Llangedwyn a Llansilin ym Maldwyn. Saif y domen-gastell ym mhlwyf Llansilin, rhyw chwe milltir i'r de-orllewin o dref Croesoswallt, a bron mor agos ag y gellid bod at y ffin rhwng Cymru a Lloegr.

Atgoffir rhywun, wrth sefyll yno, o'r math o safleoedd a ddewiswyd ar gyfer mynachlogydd y Sistersiaid – safleoedd cudd, anghysbell, neu o leiaf ychydig oddi ar y prif ffyrdd. Efallai fod hyn yn esbonio pam mae cynifer o bobl heddiw yn cael trafferth dod o hyd i Sycharth; rhaid wrth fap OS a'r awydd i grwydro lonydd cul cefn gwlad. Does dim arwyddion brown twristiaeth i'ch cyfeirio at Sycharth.

O ystyried pwysigrwydd Owain Glyndŵr fel arwr cenedlaethol a'i gyfraniad i hanes Cymru, mae'n syndod bod y safle yma mor ddieithr i'r rhan fwyaf ohonom. Ar y llaw arall, gellir dadlau bod natur heddychlon ac anghysbell y safle heddiw yn caniatáu i'r 'enaid gael llonydd' – ac mae rhywbeth yn braf iawn am hynny. Does dim cof gennyf o ddod ar draws unrhyw ymwelydd arall yno wrth i mi ymweld â Sycharth dros y blynyddoedd.

Ym mhôl piniwn y BBC '100 Welsh Heroes' (2003) daeth Owain Glyndŵr yn ail, y tu ôl i Aneurin Bevan ac o flaen Tom Jones, sy'n awgrymu, os nad yn cadarnhau, fod Cymry o bob cefndir ac ardal yn cydnabod pwysigrwydd Glyndŵr. Fy ngobaith wrth ysgrifennu'r bennod hon yw y daw'r safleoedd archaeolegol sy'n gysylltiedig â Glyndŵr yn fwy amlwg, yn ogystal ag annog pobl i fynd yno am dro.

Argraff gyntaf rhywun wrth ymweld â Sycharth yw ei fod yn gastell mwnt/tomen a beili trawiadol iawn. Dull Normanaidd o godi cestyll oedd hwn, fel yr eglruaf ym Mhennod 7, dull a gyflwynwyd gan William Goncwerwr yn dilyn ei ymosodiad yn 1066. Fel arfer, gwelir twmpath o bridd ar gyfer y tŵr neu orthwr gyda buarth yn ei amgylchu, a chlawdd a ffos gyda wal bren (palisâd) ar ben y clawdd.

Byddai rhywun yn disgwyl i'r tŵr mewn castell mwnt a beili fod yn adeilad pren, yn sicr yn y cyfnod cynnar, er bod rhywfaint o drafodaeth ynglŷn â'r posibilrwydd bod seiliau neu adeiladwaith cerrig i rai (gweler J. Ellis Jones, *Archaeology in Wales*, 2015). Mae archaeolegwyr a haneswyr yn cytuno bod y castell mwnt a beili hwn yn Sycharth cyn cyfnod Glyndŵr, a'r tebygolrwydd yw y byddai castell o'r fath yn dyddio o'r 11eg neu 12fed ganrif, neu o ddechrau'r 13eg ganrif ar yr hwyraf. Gwyddom fod teulu Glyndŵr (ei daid a'i dad) wedi ailddefnyddio'r safle Normanaidd ac i Owain ailwampio'r adeiladau ar ddiwedd y 14eg ganrif. Cawn ddisgrifiadau manwl mewn molawd gan y bardd Iolo Goch (1390) o'r safle ac o fywyd yn y neuadd neu'r 'llys' yma yn Sycharth. Cytunir hefyd fod y pyllau pysgod cyfagos yn gysylltiedig â chyfnod Glyndŵr yn Sycharth, a bod parc hela ganddo yma. Felly rydym yn edrych ar dirwedd yma sy'n perthyn i dirfeddiannwr cymharol gyfoethog ar ddiwedd y 14eg ganrif.

Nes i Reginald Grey ddechrau dadlau am dir gyda Glyndŵr, byddai bywyd wedi bod yn ddigon braf yma yn Sycharth, a byddai Owain wedi cael ei dalu'n dda am ymuno â Richard II ar ei ymgyrchoedd yn yr Alban, gan ganiatáu iddo ddiweddaru'r adeiladau â'r arian a gafodd.

Mae *Llyfr Domesday* (1086) yn cyfeirio at gwmwd Cynllaith ac at gwmwd Edeirnion lle mae tomen-gastell Glyndyfrdwy (gweler diwedd y bennod hon). Arolwg neu gofnod wedi ei gomisiynu gan William Goncwerwr oedd y llyfr hwn, i nodi aneddiadau Lloegr (13,418 ohonynt), ac er nad oes cyfeiriad at y cestyll yn benodol, mae'r ffaith fod y ddau gwmwd yn cael eu henwi yn awgrymu'n gryf fod y Normaniaid (rhywun fel Roger de Montgomery, er enghraifft) wedi sefydlu cestyll yno (gweler Hen Domen, Pennod 7).

Gan fod Cwmwd Cynllaith mor agos i'r ffin, does dim syndod i'r ardal yma ddod dan ddylanwad y Normaniaid mor gynnar â diwedd yr 11eg ganrif. Digon rhesymol felly yw awgrymu fod y

Sycharth o bell

domen-gastell yma yn Sycharth yn perthyn i'r cyfnod hwn, ac o adeiladwaith Normanaidd. Un anhawster sylfaenol gyda dyddio ac adnabod adeiladwyr y cestyll tomen a beili cynnar yw'r diffyg ffynonellau hanesyddol. Er bod cestyll Aber (Abergwyngregyn), Aberlleiniog (ar Ynys Môn) a'r domen wreiddiol o dan gastell Caernarfon yn cael eu cydnabod fel rhai sy'n perthyn i ymgyrchoedd Huw o Gaer a Robert o Ruddlan i ogledd Cymru ddiwedd yr 11eg ganrif, does dim tystiolaeth ddogfennol i gadarnhau pwy, er enghraifft, a gododd y castell yn Aber.

Llosgwyd Sycharth ym Mai 1403 gan y tywysog Harri yn ystod Gwrthryfel Glyndŵr (1400–10) – daeth y tywysog yn Harri V yn ei dro, ac mae'n debyg mai dyna ddiwedd unrhyw gysylltiad rhwng Glyndŵr a Sycharth. Ceir y dystiolaeth yma o lythyr a ysgrifennwyd gan y tywysog Harri at ei dad, Harri IV, yn sôn ei fod ar ddeall fod byddin Glyndŵr wedi ymgasglu yn y dwyrain ac iddo orymdeithio i Saghern (Sycharth), prif neuadd Glyndŵr. Roedd y safle'n wag, felly llosgwyd Sycharth gan Harri cyn mynd ymlaen i Lyndyfrdwy a llosgi'r 'neuadd yn y parc' yno.

Mae disgrifiadau Harri o Sycharth a Glyndyfrdwy yn bwysig o safbwynt deall pwysigrwydd y safleoedd yn y cyfnod. Awgryma'r dystiolaeth archaeolegol fod adeilad neuadd Glyndŵr ar ben y domen yn achos Sycharth, ond nid felly yng Nglyndyfrdwy (gweler y drafodaeth isod am gerdd Iolo Goch a gwaith cloddio Hague yn Sycharth). Yng Nglyndyfrdwy roedd y neuadd mewn lloc sgwâr neu hirsgwar wedi ei amgylchu gan ddŵr (*moated site*) mewn cae ychydig i'r dwyrain o'r domen.

Cafodd y ffermdy ger Sycharth ei ddefnyddio yn llys barn i'r dreflan yn ddiweddarach a hynny hyd at y 19eg ganrif, ond ni chafwyd unrhyw hanes na manylion pellach ynglŷn â safle castell/llys Sycharth nes i George Borrow ymweld â'r safle yn 1854, wrth ysgrifennu ei lyfr *Wild Wales*. Diddorol yn hytrach na ffeithiol gywir yw barn nifer am ddisgrifiadau Borrow, ond trwy lygaid Borrow cawn gipolwg ar y safle yn 1854, boed yn fanwl gywir neu beidio.

Wrth chwilio am union safle castell Sycharth holodd Borrow ŵr lleol a'i rhybuddiodd, '*you will not see much of his house now ... it is down; only a few bricks remain,*' er nad oes neb heddiw yn credu y bu unrhyw waith brics yn gysylltiedig â'r safle. Efallai fod y gŵr wedi defnyddio'r gair brics i gyfleu ambell garreg adeiladu?

Nododd Borrow fod y safle bellach wedi ei guddio dan laswellt, ond roedd yn ddigon craff i sylwi ar y ffosydd oedd yn amgylchu'r buarth a'r domen. Sylwodd hefyd ar gerrig coch yn y ffos, er bod amheuaeth ynglŷn â'i dehongliad:

> Owen Glendower's hill or mount at Sycharth, unlike the one bearing his name on the bank of the Dee, is not an artificial hill, but the work of nature, save and except that to a certain extent it has been modified by the hand of man. It is somewhat conical and consists of two steps or gradations, where two fosses scooped out of the hill go round it, one above the other, the lower one embracing considerably the most space. Both these fosses are about six feet deep, and at one time doubtless were bricked, as stout large, red bricks are yet to be seen, here and there in their sides.

Cloddio yn Sycharth

Bu cloddio archaeolegol ar ran o'r safle yn ystod hafau 1962 ac 1963 gan Douglas Hague o'r Comisiwn Brenhinol yng Nghymru a Cynthia Warhurst o Brifysgol Leeds, ac mae modd darllen eu hadroddiad yn *Archaeologia Cambrensis* 1966. Cloddiwyd tair ffos ganddynt, un ar ben y domen ar yr ochr ogledd-ddwyreiniol a dwy ffos lai ar ymyl y buarth. Ar ben y domen daethpwyd o hyd i weddillion waliau cerrig sychion ac mae'n bosibl awgrymu, o gyfeirio'n ôl at gerdd Iolo Goch, y gall y rhain fod yn rhan o'r sylfeini ar gyfer neuadd Glyndŵr.

Mewn gwirionedd, darganfu Hague weddillion dau adeilad ar ben y domen: un mwy sylweddol yn y canol ac un llai i'r dwyrain. Mesurai'r adeilad mwyaf oddeutu 17 troedfedd 6 modfedd ar draws, a darganfuwyd hyd at 22 troedfedd o'r wal ddwyreiniol. Rhaid cofio mai dim ond chwarter arwynebedd y domen a gloddiwyd gan Hague, felly byddai unrhyw rannau eraill o'r adeilad yn parhau ynghudd o dan y pridd. Rydw i wedi mesur lled ac arsylwi ar gopa'r domen, sy'n 22 medr ar draws ac yn wastad, felly byddai wedi bod yn ddigon addas ar gyfer codi adeilad arno. Mae rhan o'r adeilad dwyreiniol wedi ei golli ar ymyl y domen, efallai oherwydd erydiad y tir dros y blynyddoedd.

Un o ganlyniadau amlycaf gwaith cloddio Hague yw nad yw'r ddau adeilad yn hollol gyfochrog o safbwynt llinell y waliau. Sut mae esbonio hyn? Dydi perthynas y ddau adeilad ddim yn amlwg nac wedi ei datrys gan y gwaith cloddio. Weithiau fe all adeiladau nad ydynt yn gyfochrog awgrymu cyfnodau adeiladu gwahanol, ond mae posibilrwydd hefyd fod yr adeilad dwyreiniol hwn yn rhyw fath o isadeilad i'r neuadd.

Dehonglwyd waliau cerrig sychion y prif adeilad fel sylfeini ar gyfer y trawstiau pren a fframwaith y neuadd. O dan wal gerrig ddwyreiniol y prif adeilad yma (y neuadd) darganfuwyd darn o arian yn dyddio o oddeutu 1350–60, a fyddai yn cyd-fynd â chyfnod rhywbryd ar ôl canol y 14eg ganrif. Cofiwch i Owain Glyndŵr gael ei eni oddeutu 1349–59, felly mae presenoldeb y darn arian yma'n awgrymu bod yr adeiladu wedi digwydd cyn ei gyfnod ef – ai ei dad oedd yn gyfrifol, tybed?

Hanai Owain Glyndŵr, neu Owain ap Gruffudd, o linach

Tomen a ffos Sycharth

Mathrafal ar ochr ei dad, Gruffudd Fychan (c.1330-1369) ac o deulu Dinefwr ar ochr ei fam, Elen, felly roedd Glyndŵr wedi cael ei fagu yn ddarpar arweinydd. Byddai stadau Glyndyfrdwy a Chynllaith (Sycharth) yn y teulu yn barod. Mae'n debygol bod Owain yn etifeddu'r stad oddeutu 1370 ac yn atgyweirio'r neuadd ar ôl hynny – awgrym Iolo Goch yw ei fod wedi codi mwy o lofftydd ar gyfer ei blant. Roedd Owain yn cael incwm o £200 y flwyddyn, a oedd yn ei wneud yn un o'r uchelwyr Cymreig cyfoethocaf, ac roedd arian ychwanegol wedi dod i'w goffrau drwy ei gefnogaeth i Richard II yn yr Alban.

Cwestiwn diddorol i'w ofyn, o safbwynt hanes Cymru, yw a fyddai pethau wedi bod yn wahanol i Owain Glyndŵr petai Richard II heb gael ei ddisodli gan Henry Bolingbroke (Harri IV) yn 1399. Efallai y byddai Glyndŵr wedi gallu parhau â'i fywyd cyffordus yn Sycharth heb boeni am Reginald Grey?

Anarferol yw gweld neuadd ganoloesol ar ben tomen-gastell fel hyn, ond mae esboniad Hague yn ddiddorol:

In itself the use of a motte for a timber hall in the late fourteenth century is unusual, but the occupation of this archaic site by Glyndŵr befits his distinctive personality, and he may well have seen the motte as a ready-made moated homestead such as were common in England in the early fourteenth century and with which his English education would have made him familiar.

Ond os oedd y neuadd wedi ei chodi cyn cyfnod Owain, fel mae'r darn arian a ddarganfuwyd yn ei awgrymu, mae damcaniaeth Hague ynglŷn ag unigrywedd Glyndŵr yn cael ei thanseilio.

Mae sôn bod gweithwyr, wrth osod draeniau, wedi tyllu drwy'r ffos o amgylch y domen yn y 1890au a darganfod darn o bren neu drawst, a osodwyd yn ddiweddarach yn Neuadd Llansilin. Stori ddiddorol i mi ei chlywed gan ffermwr lleol yw bod rhai o drawstiau neuadd Glyndŵr yn Sycharth wedi eu hailddefnyddio yn ffermdy Tŷ Newydd ar y ffordd am Lansilin. Efallai na chwalwyd y safle yn llwyr pan losgwyd ef gan y Tywysog Harri, felly. Oedd rhywun wedi achub rhai o'r trawstiau yn fuan ar ôl gweithred Harri?

Mae'r tyllu a'r draenio hwn yn cyd-fynd â disgrifiad Iolo Goch o'r safle, sef bod dŵr wedi llenwi'r ffos o amgylch y domen yng nghyfnod Glyndŵr gan greu'r *moated homestead* a awgrymodd Hague. Yn ddiweddar, bu'n rhaid i Cadw ddraenio'r ffos a rhoi cerrig mân o dan y glaswellt gan fod y dŵr yn achosi erydiad difrifol i'r domen, sefyllfa a oedd yn dirywio hefyd o ganlyniad i effaith traed yr anifeiliaid oedd yn pori yn y cae a gwreiddiau coed cyfagos. O safbwynt cadwraeth roedd Cadw yn wynebu tipyn o gyfyng-gyngor – a ddylid cadw'r dŵr fel nodwedd o'r ffos, a'r safle fel yr oedd o, neu a oedd gwarchod y domen yn bwysicach (Rees 2104)? Gwnaethpwyd y gwaith cadwraeth, a bachodd Cadw ar y cyfle i ddatblygu'r maes parcio a gwella'r mynediad at y safle ar yr un pryd.

Fel y soniais, byddai rhywun yn disgwyl i'r tŵr Normanaidd gwreiddiol fod yn adeilad pren, ond ni chafwyd gwrthrychau oedd yn dyddio'r safle cyn y 13eg ganrif yn ystod y ddau dymor o waith cloddio gan Hague a Warhurst. Ond fe gafwyd olion tyllau pyst o dan waliau'r neuadd, gan gynnwys dau dwll postyn sylweddol o dan y wal ddwyreiniol. Er mor anodd yw dehongli canlyniadau Hague, mae'n rhesymol awgrymu mai tyllau pyst ac olion adeiladwaith cynharach na'r ddau adeilad cerrig o'r 14eg ganrif oedd y rhain.

Wrth reswm, byddai adeiladu'r neuadd yn y 14eg ganrif wedi dinistrio llawer o'r hyn oedd yno eisoes, yn enwedig adeiladwaith pren, ond mae'r tyllau pyst yma'n awgrym pendant o adeiladwaith blaenorol. Dywed Iorwerth Peate yn ei gyfrol *The Welsh House, A Study in Folk Culture* (1940) fod neuadd o'r math yma, sef un a saif ar ben tomen, yng nghyfnod Glyndŵr yn debygol o fod o adeiladwaith pyst a thrawstiau (*post and truss*) yn hytrach na thŷ ffrâm nennfforch (*cruck framed*). Yn ôl Iolo Goch, 'Cyplau sydd, gwaith cwplws ŷnt'. Gyda'r gwelliannau mewn technegau archaeolegol erbyn heddiw, ac amheuon ynglŷn â safon gwaith Hague, mae achos da i ddadlau y byddai mwy o waith archaeolegol yma yn Sycharth yn help mawr o ran gwella'n dealltwriaeth o'r safle. Yr her archaeolegol bob amser yw darganfod yr hyn sydd o dan adeiladwaith diweddarach, ac yn ddelfrydol byddai rhywun yn cloddio arwynebedd cyfan y domen er mwyn ceisio cael gwell dehongliad o'r hyn ddigwyddodd yma.

Ni ddarganfuwyd nodweddion amlwg ar ochr y buarth, a methwyd â dod o hyd i dyllau pyst ar gyfer y palisâd ar hyd y clawdd. Awgrymodd Hague fod posibilrwydd bod adeilad pren ger y fynedfa, ond annelwig iawn yw adroddiad Hague am y buarth. Doedd dim gwrthrychau yma chwaith i gadarnhau'r dyddiad Normanaidd ar gyfer y castell gwreiddiol.

Gwrthrychau Hague

Darganfu Hague ddarnau o lestri pridd canoloesol wrth gloddio, ond ychydig iawn o'r darnau oedd mewn unrhyw gyd-destun pendant, felly'r cyfan y mae'r llestri hyn yn ei gadarnhau yw bod y safle wedi cael ei ddefnyddio yn ystod y 14eg a'r15fed ganrif. Os dinistriwyd y neuadd gan Harri, fyddwn i ddim yn disgwyl i Hague ddarganfod llawer o lestri yn dyddio o'r cyfnod ar ôl 1403, heblaw ambell ddarn fyddai wedi ei daflu ar y cae dros y blynyddoedd wedyn.

Wrth edrych ar adroddiad Hague gwelwn fod darnau llestri (SY64:93 a SY64:69) o'r 13eg ganrif, ond eto does dim yn cadarnhau gwaith adeiladu gan y Normaniaid ar ddiwedd y 11eg neu ddechrau'r 12fed ganrif, er mai dyna'r tebygolrwydd amlwg. Cafwyd darnau bach o lechi to wrth gloddio'r domen hefyd, a gwyddom mai dyma oedd eu defnydd oherwydd y tyllau ynddynt – ond eto anodd iawn yw profi eu bod yn perthyn i unrhyw adeilad o waith Glyndŵr. Anodd hefyd oedd priodoli dyddiad i'r darnau o wydr a gafwyd, a'r darnau bach o stribedi plwm a fyddai, mae'n debyg, wedi dal gwydr mewn ffenestri.

Dengys arolwg paill fod coed derw, bedw a chyll wedi tyfu yn yr ardal, yn ogystal â grugoedd.

Edrychodd Gavin Spencer Smith (2014) ar lythyrau Hague a Warhurst, sydd i'w gweld yng nghasgliad y Comisiwn Brenhinol yng Nghymru ac yn dyddio o gyfnod eu cloddio archaeolegol, a diddorol iawn oedd gweld llythyr gan Hague at *The Times* ar 10 Awst 1962 lle mae'n mynegi ei siom na ddenwyd myfyrwyr o Gymru i wirfoddoli yn ystod y gwaith cloddio.

Sir – I would have thought that there was magic enough in the name of Owain Glyndŵr to quicken the pulse of any Welshman, yet an excavation of his stronghold at Sycharth has produced no single volunteer from the universities he all but founded.

Ymatebodd Leslie Alcock, darlithydd ym Mhrifysgol De Cymru a Sir Fynwy, i lythyr Hague, yn awgrymu bod y rhan fwyaf o'i fyfyrwyr eisoes wedi dewis safleoedd i'w cloddio fel rhan o'u cwrs. Awgrymodd Alcock ymhellach fod angen gofal cyn cloddio safle mor bwysig a chymhleth â Sycharth, ac wrth ddarllen rhwng y llinellau, fel petai, ceir yr argraff na chafodd gwaith Hague sêl bendith y 'sefydliad archaeolegol' yng Nghymru.

Dangoswyd, drwy archwiliad geoffisegol o'r safle gan Smith yn 2003 a Cadw yn 2009 (Garter, J., Adcock, J., heb ei gyhoeddi), fod lloc arall i'r gogledd o'r safle a bod olion cefnen a rhych (*ridge and furrow*) yn y caeau o'i amgylch, ond dydi hyn ddim yn egluro beth oedd y cysylltiad rhwng y lloc gogleddol a buarth y castell.

Gwelwn y buarth (beili) o siâp aren ar ochr ddeheuol y domen. Dangosodd yr arolwg geoffisegol fod adeilad petryal ar ben y domen, sef yr adeilad roedd Douglas Hague wedi ei gloddio ar ddechrau'r 1960au, a bod gweddillion archaeolegol (adeiladau) yn parhau o dan y pridd ar safle'r buarth.

Gwnaeth Spencer Smith ychydig o waith cloddio yn 2003 i'r de o'r buarth, a dangosodd y gwaith hwnnw olion ffos y berllan a'r winllan (a ddisgrifiwyd gan Iolo Goch) yn ogystal â ffordd ag iddi wyneb caled o garreg (*metalled surface*) i mewn am y buarth. Awgryma Smith fod y ffordd wedi ei hadnewyddu o leiaf dair gwaith.

Anaml iawn y mae modd cysoni tystiolaeth ddogfennol, fel cywydd Iolo, â'r archaeoleg, ond cafodd Smith y cyfle prin hwnnw yn 2003. Yn aml, wrth ystyried dogfennau hanesyddol, mae'n rhaid gofyn pa mor gyfoes ydynt i'r digwyddiad, heb sôn am bwy a'u sgwennodd a pham. O leiaf yn achos cywydd Iolo gwyddom ei fod yn dyddio o gyfnod Glyndŵr yn hytrach na chanrif neu fwy yn ddiweddarach, ac mae'r darganfyddiadau archaeolegol a'r hyn sydd i'w weld heddiw ar y dirwedd yn ymddangos yn weddol gytûn â disgrifiadau Iolo.

'Llys Owain Glyndŵr' Iolo Goch, 1390

Yn ôl disgrifiad Iolo roedd neuadd bren ar ben y domen ac adeiladau llai yn y buarth. O'i ddisgrifiad o'r neuadd, dehonglwyd yr adeilad fel un o wneuthuriad fframwaith pren (*post and truss*) yn hytrach na neuadd wedi ei fframio a chyplau bongam (*cruck*). Cana Iolo Goch am wyth ystafell ar y llawr cyntaf, chwe simdde, to teils a naw gwardrob (ystafelloedd newid) i'r neuadd.

Barn Spencer Smith yw bod Iolo Goch wedi cerdded tuag at Sycharth o'r de-ddwyrain – mae'r bryn (lle mae'r goedwig heddiw) i'r dwyrain yn llawer rhy serth i'w gerdded. Yn wir, o edrych yn ôl o'r maes parcio ac i ffwrdd o Sycharth mae cysgod yr hen lwybr i'w weld yn y cae. Felly, o'r cyfeiriad yma roedd Iolo'n gweld Sycharth am y tro cyntaf, ac mae'n disgrifio'r ffos a dŵr o amgylch y neuadd: 'mewn eurgylch dwfr mewn argae'. Dyma'r gerdd yn ei chyfanrwydd.

Llys barwn, lle syberwyd,
Lle daw beirdd aml, lle da byd;
Gwawr Bowys fawr, beues Faig,
Gofuned gwiw ofynaig.
Llyna'r modd a'r llun y mae
Mewn eurgylch dwfr mewn argae:
(Pand da'r llys?) pont ar y llyn,
Ac unporth lle'r âi ganpyn;
Cyplau sydd, gwaith cwplws ŷnt,
Cwpledig pob cwpl ydynt;
Clochdy Padrig, Ffrengig ffrwyth,
Clostr Wesmustr, clostir esmwyth;
Cynglynrhwym pob congl unrhyw,
Cangell aur, cyngan oll yw;
Cynglynion yn fronfron fry,
Dordor megis daeardy,
A phob un fal llun llyngwlm
Sydd yn ei gilydd yn gwlm;
Tai nawplad fold deunawplas,
Tai pren glân mewn top bryn glas;
Ar bedwar piler eres
Mae'i lys ef i nef yn nes;
Ar ben pob piler pren praff
Llofft ar dalgrofft adeilgraff,
A'r pedair llofft o hoffter
Yn gydgwplws lle cwsg clêr;
Aeth y pedair disgleirlofft,
Nyth lwyth teg iawn, yn wyth loft;
To teils ar bob tŷ talwg,
A simnai lle magai'r mwg.
Naw neuadd gyfladd gyflun,
A naw gwardrob ar bob un,
Siopau glân glwys cynnwys cain,
Siop lawndeg fal Siêp Lundain;
Croes eglwys gylchlwys galchliw,
Capelau â gwydrau gwiw;
Popty llawn poptu i'r llys,

Perllan, gwinllan ger gwenllys;
Melin deg ar ddifreg ddŵr,
A'i glomendy gloyw maendwr;
Pysgodlyn, cudduglyn cau,
A fo rhaid i fwrw rhwydau;
Amlaf lle, nid er ymliw,
Penhwyaid a gwyniaid gwiw,
A'i dir bwrdd a'i adar byw,
Peunod, crehyrod hoywryw;
Dolydd glân gwyran a gwair,
Ydau mewn caeau cywair,
Parc cwning ein pôr cenedl,
Erydr a meirch hydr, mawr chwedl;
Gerllaw'r llys, gorlliwio'r llall,
Y pawr ceirw mewn parc arall;
Ei gaith a wna pob gwaith gwiw,
Cyfreidiau cyfar ydiw,
Dwyn blaendrwyth cwrw Amwythig,
Gwirodau bragodau brig,
Pob llyn, bara gwyn a gwin,
A'i gig a'i dân i'w gegin;
Pebyll y beirdd, pawb lle bo,
Pe beunydd, caiff pawb yno;
Tecaf llys bren, pen heb bai,
O'r deyrnas, nawdd Duw arnai;
A gwraig orau o'r gwragedd,
Gwyn fy myd o'i gwin a'i medd!
Merch eglur llin marchoglyw,
Urddol hael anianol yw;
A'i blant a ddeuant bob ddau,
Nythaid teg o benaethau.
Anfynych iawn fu yno
Weled na chlicied na chlo,
Na phorthoriaeth ni wnaeth neb,
Ni bydd eisiau, budd oseb,
Na gwall na newyn, na gwarth,
Na syched fyth yn Sycharth.

Gorau Cymro, tro trylew,
Piau'r wlad, lin Pywer Lew,
Gŵr meingryf, gorau mangre,
A phiau'r llys; hoff yw'r lle.

Os ydych yn ymweld â Sycharth, mae'n werth galw heibio Eglwys Sant Silin, Llansilin; eglwys sydd wedi ei rhestru yn adeilad Gradd I gan Cadw. Yn erbyn wal ddeheuol allanol yr eglwys mae carreg goffa i'r bardd Huw Morus (Eos Ceiriog), bardd a fu'n feirniadol iawn o Oliver Cromwell. Uwchben y garreg goffa mae ffenestr liw sy'n cynnwys rhai o'i englynion.

Wrth drafod beth sy'n ein cysylltu â Chymru a chreu ymwybyddiaeth Gymreig, mae Sian E. Rees (2014) yn datgan;

When we consider what constitutes national identity – what makes a nation proud, assured and confident – it is striking how often historic monuments are adopted as symbols of nationhood.

Tydw i ddim yn anghytuno â'i damcaniaeth, ond sut felly y byddai rhywun yn mesur ein hymwybyddiaeth o'n hamgylchedd hanesyddol Gymreig o ystyried y diffyg sylw a roddwyd i safle mor bwysig â Sycharth dros y blynyddoedd?

Glyndyfrdwy
Cyfnod: Canol Oesoedd

... where time, as it were, had stood still.

Rhys Davies

Mae Glyndyfrdwy yn chwaer-safle i Sycharth, fel petai, a thaith car fer sydd rhwng y ddau. Mewn gwirionedd, mae dau safle gwahanol yma yng Nglyndyfrdwy yng nghyd-destun y Canoloesoedd: y domen-gastell Normanaidd (SJ 125 431) a'r Neuadd Ganoloesol (ail gartref Glyndŵr) wedi ei hamgylchu â dŵr (SJ 127 430). Mae'r ddau safle yn henebion rhestredig, ac yn

Tomen Glyndyfrdwy

ddiddorol iawn rydym hefyd yn gwybod fod maen Neolithig yma ar y safle, ac olion o'r Ail Ryfel Byd.

Yn wahanol i Sycharth, mae'n ymddangos fod neuadd Glyndŵr yma yng Nglyndyfrdwy ryw 200 llath ar draws y cae i gyfeiriad Llangollen o'r domen, a does dim awgrym fod unrhyw adeilad ar ben y domen yng nghyfnod Glyndŵr.

Efallai'n wir i faner Glyndŵr gael ei chodi ar ben y domen ar 16 Medi 1400, ond amhosib fyddai profi hynny – a rhaid cofio i'r castell fod yn adfail ers rhai canrifoedd erbyn cyfnod Glyndŵr. Mae baner yn hedfan ar y domen yn ddelwedd llawer mwy rhamantus na chyfarfod ffurfiol yn y neuadd, felly, fe adawaf i'r dychymyg ennill y dydd yma. Cwestiwn arall sydd wedi ei ofyn yw a fyddai unrhyw ddefod neu wasanaeth cysylltiedig â chodi'r faner wedi ei chynnal yn yr eglwys yng Nghorwen?

Saif y domen Normanaidd a'r neuadd ganoloesol ger ochr yr A5 bresennol ac uwchben afon Dyfrdwy. Fel yn achos Sycharth, mae'n debyg fod y domen-gastell yn perthyn i'r 12fed ganrif, ymhell cyn cyfnod Glyndŵr, ond bod y safle a/neu'r tir cyfagos wedi eu hailddefnyddio gan deulu Owain rywbryd yn hanner cyntaf y 14eg ganrif. Does neb yn sicr pryd yn union y bu i deulu Owain ddod i Lyndyfrdwy. Uchder y domen yw 6.5 medr ac ar y copa mae'n 12 medr ar draws.

Efallai mai oherwydd agosrwydd campwaith Thomas Telford, yr A5 o Lundain i Gaergybi a adeiladwyd rhwng 1815 ac 1828, y mae'r naws ychydig yn wahanol yng Nglyndyfrdwy o'i gymharu â Sycharth. Dim ond tafliad carreg, lled cae a dim mwy, sydd rhyngom a'r ceir a'r lorïau sy'n rhuthro ar hyd y briffordd, ac anobeithiol yw disgwyl unrhyw ddistawrwydd yma.

Bu George Borrow yma hefyd yn 1854 gan ofyn, '*And this is the hill of Owain Glyndŵr?*' Yr ateb a gafodd gan ŵr lleol oedd, 'Dyma Mont Owain Glyndŵr, *sir*, lle yr oedd yn sefyll i edrych am ei elynion yn dyfod o Gaer Lleion.' Heblaw iddo ddatgan fod y domen yn ei atgoffa o domen gladdu hynafol, does fawr i'w ddysgu o adroddiad Borrow am ei ymweliad â Glyndyfrdwy.

Dinistriwyd y safle (yn sicr y neuadd) ym Mai 1403 yn sgil Gwrthryfel Glyndŵr gan y tywysog Harri, fel yn achos Sycharth.

Fel Arolygydd Henebion Cadw, bu Sian E. Rees yn gyfrifol am adnabod safleoedd oedd yn bwysig o safbwynt hanes Cymru ond yn llai amlwg o ran olion gweledol ar y ddaear – ac yn amlwg roedd Sycharth a Glyndyfrdwy yn esiamplau perffaith. Erbyn 2000 roedd cyflwr Glyndyfrdwy yn gwaethygu, a pherygl go iawn y byddai'r domen yn disgyn, a hynny ar ben rheilffordd Llangollen. Dyna yn union ddechreuodd ddigwydd yn dilyn glaw trwm yn ystod Tachwedd 2001, a bu'n rhaid i Cadw ddechrau ar waith cadwraeth brys.

Rhaid oedd atgyfnerthu'r domen ag angorau dur, a gorchuddiwyd hyn oll â defnydd geo-weol er mwyn cadw'r pridd yn ei le. Heddiw does dim o hyn i'w weld, ac yn sgil y gwaith cadwraeth sicrhawyd bod ymwelwyr bellach yn gallu ymweld â'r safle – er eu bod yn gorfod croesi'r A5 i'w gyrraedd, sy'n antur beryglus iawn ynddi'i hun!

Does dim beili neu fuarth amlwg yng Nglyndyfrdwy, ond mae darn gwastad o dir i'r dwyrain o'r domen ac anodd yw dychmygu na fu defnydd i'r llecyn hwn. Ychydig ymhellach ar draws y cae i gyfeiriad Llangollen, ar dir tipyn is, gwelwn olion lloc lled-sgwâr gyda ffos wedi ei llenwi yn rhannol â dŵr. Os ydym yn dehongli'n gywir, hwn fyddai safle'r neuadd ganoloesol, y '*moated house*', ac er bod rhan helaeth o'r ffos yn sych heddiw, hawdd fyddai dychmygu'r ffos gyfan wedi ei llenwi â dŵr gan fod pwll ar yr ochr ogleddol i'r lloc hyd heddiw. O edrych ar awyrluniau mae'r safle lled-sgwâr yma yn weddol amlwg, a does fawr o amheuaeth mewn gwirionedd nad dyma ail gartref Glyndŵr a'i deulu yn ystod ail hanner y 14eg ganrif.

Ger ymyl y ffos gwelir sawl carreg sylweddol ac mae un ohonynt (yr agosaf i'r A5) yn cynnwys tua 13 cafn-nodyn cyn-hanesyddol (PRN 100964). Dyma enghraifft wych o gelf (*rock art*) Neolithig/Oes Efydd, sef tyllau bach crynion wedi eu naddu gan rywun oddeutu 4–5 mil o flynyddoedd yn ôl, tyllau nad oes neb yn ymwybodol o'u pwrpas. Mae'n anodd gen i gredu na fyddai Glyndŵr ei hun wedi sylwi ar y garreg hynod hon, a'i blant wedi chwarae o'i chwmpas yn eu tro. Wrth gyffwrdd y cafn-nodau ar y garreg hudol hon gallaf ddychmygu Owain Glyndŵr yn gwneud yn union yr un fath yn y 14eg ganrif – rhoi ei fysedd dros y tyllau bach crwn a cheisio dyfalu eu harwyddocâd a phwy oedd yn gyfrifol amdanynt.

Rhwng y Neuadd a'r domen-gastell ar y tir gwastad gwelwn olion tri chylch, un llwyfan gwastad iawn oddeutu 10.5 medr ar draws a dau gylch neu loc llai oddeutu 4 medr ar draws ger y ffens uwch y rheilffordd. Gweddillion safle o'r Ail Ryfel Byd yw'r rhain, sef gweddillion llwyfan ar gyfer chwilolau a sylfeini'r amddiffynfeydd cysylltiedig. Diddorol – ond dim oll i'w wneud â Glyndŵr!

Carreg Cleddyf Owain Glyndŵr, Eglwys Sant Mael a Sant Sulien, Corwen

Credaf fod Gruffydd Aled Williams, yn ei lyfr *Dyddiau Olaf Glyndŵr*, wedi taro'r hoelen ar ei phen wrth ddisgrifio Carreg Cleddyf Glyndŵr ym mhorth deheuol Eglwys Corwen fel a ganlyn: 'yn enghraifft o'r llên gwerin gyfoethog sy'n ymwneud ag ef yn ei hen gynefin'. Er mor dda yw'r stori y tu ôl iddi, carreg fedd a chroes arddull Lladin (*pillar stone*) o'r 7–9fed ganrif yw hon wedi ei hailddefnyddio fel capan, neu lintel, dros ddrws y porth

Cyllell/dagr Glyndŵr yn lintel porth deheuol Eglwys Corwen

deheuol. Dyddia'r porth allanol o'r 19eg ganrif (gweler Nash-Williams, 1950).

Yn y stori leol, taflodd Glyndŵr ei ddagr neu gleddyf o Ben y Pigyn uwchlaw'r eglwys i lawr i'r fynwent a gadael ôl yr arf ar y garreg. Yn ôl Gruffydd Aled Williams, awgrymodd hynafiaethydd o'r enw William Henry Cooke (1811–94) mai yma roedd bedd Glyndŵr, ond roedd cysylltiad blaenorol rhwng yr arf ac Owain wedi ei wneud gan yr hynafiaethwyr Llwyd a Pennant, felly roedd y stori yn bod cyn cyfnod Cooke.

Un arall a gyfeiriodd at ddagr Glyndŵr yng Nghorwen, yn ôl Gruffydd Aled Williams, oedd Edward Jones, Bardd y Brenin (1752–1824), a'r hyn sydd o ddiddordeb mawr i mi fel un a fagwyd yn yr ardal yw bod Edward Jones yn honni, ar ddiwedd trafod y dagr a stori *Pigyn Craig Owain*, bod Glyndŵr, yn ôl rhai, wedi ei gladdu yn Llanfair Caereinion, Sir Drefaldwyn. Wel, chlywais i erioed y stori honno yn ystod fy mhlentyndod yn Llanfair, a phiti mawr nad oes unrhyw sylwedd i'r peth, ddyweda i!

Ym Mhennod 10 rwy'n trafod corffddelw Dafydd ap Gruffydd

Fychan yn Eglwys y Santes Fair, Llanfair Caereinion, sy'n dyddio o'r cyfnod oddeutu 1440 – yn rhy hwyr felly i fod yn perthyn i gyfnod Glyndŵr. Chlywais i neb erioed yn amau nad corffddelw Dafydd ap Gruffydd Fychan sydd yn Llanfair, nac unrhyw sôn fod gan Glyndŵr unrhyw gysylltiad â'r eglwys.

Croes Corwen

Yn y fynwent yng Nghorwen gwelwn goes neu siafft croes yn dyddio o'r 12fed ganrif (SJ 079 433). Mae pen y groes ar goll ac mae'n weddol amlwg nad yw'r garreg sylfaen o'r un gwneuthuriad â'r groes ei hun. O amgylch y garreg sylfaen gron mae hyd at saith neu wyth cafn-nodyn posib. Mae chwech yn sicr yn weddol amlwg, ond mae amheuaeth a ydyn nhw'n gafn-nodau cyn-hanesyddol go iawn. O'u cymharu â rhai o'r cafn-nodau yn y dirwedd o amgylch Bryn Celli Ddu ar ynys Môn, rhaid cyfaddef eu bod yn debyg iawn. Os am ddehongliad arall, mae stori leol (heb fawr o awdurdod) yn datgan mai milwyr Glyndŵr a naddodd y tyllau wrth iddynt ddiflasu a dechrau rhoi min ar flaenau eu saethau.

Gwelwn hefyd gerfiad siâp croes ar y goes, tua dwy ran o dair o'r ffordd i fyny ar yr ochr ddwyreiniol, ac awgryma Helen Burnham fod addurniadau eraill ar y goes ond eu bod bellach yn anodd eu dehongli oherwydd y gwisgo arnynt.

Cyn gadael mynwent Sant Mael a Sant Sulien dylid taro golwg ar y maen hir sydd wedi ei osod yn y wal ym mhorth gogleddol yr eglwys (Barber a Williams 1989). Saif y maen i uchder o 1.5 medr, ac er ei fod ar osgo mae'n hawdd dychmygu ei fod yn faen hir o'r Oes Efydd. Os felly, dyma enghraifft o Gristnogion yn ailberchnogi maen paganaidd.

Sycharth, Llansilin

Map yr Ardal: OS Landranger 126
Cyfeirnod Map OS: SJ 204258
Parcio: Maes Parcio Sycharth
Graddfa: Hawdd. Mae angen dringo camfa a chroesi'r cae, ac mewn tywydd gwlyb bydd angen esgidiau cerdded.
Man Cychwyn: Dilynwch y B4396 i gyfeiriad Llangedwyn (sef y ffordd rhwng Penybontfawr a Llanyblodwel) a throwch wrth dafarn y Green Inn. Ewch heibio'r dafarn gan ddilyn y ffordd gul i fyny'r allt am 1.4 milltir nes cyrraedd croesffordd. Ar ôl milltir go dda bydd Sycharth i'w weld o'ch blaen ac ychydig i'r dde wrth i chi ddisgyn am y groesffordd.

Trowch i'r dde yn y groesffordd i gyfeiriad Llynclys a Chroesoswallt. Mae maes parcio Sycharth ar y chwith ar ôl 0.2 milltir. Mae yno le i o leiaf 6 cerbyd, a byrddau gwybodaeth Cadw.

Glyndyfrdwy

Map yr Ardal: OS Landranger 125
Cyfeirnod Map OS: Tomen-castell SJ 125431
                Neuadd Glyndŵr SJ 127 430
                 Safle Chwilolau Ail Ryfel Byd SJ 126 431
                Carreg cafn-nodau SJ 127 430
Parcio: Ar ochr yr A5 rhwng Corwen a Glyndyfrdwy, ger y troad gyferbyn â'r gamfa i gyfeiriad Glyndyfrdwy. Mae lle ar ymyl y troad ac oddi ar yr A5 ar gyfer un neu ddau o geir. Rhaid croesi'r A5 a dringo dwy gamfa i gyrraedd y domen-gastell. Cadwch i ochr dde'r domen a dilyn llwybrau defaid ar hyd ochr y cae os ydych am gyrraedd y safleoedd eraill. Fe ddowch at y tir gwastad lle mae'r safle chwilolau o'r Ail Ryfel

Byd yn gyntaf, ac ar ôl disgyn ychydig i gyfeiriad Llangollen gellir gweld safle'r Neuadd a'r ffos sgwâr yn y pant ger y pwll dwr.

Eglwys Sant Mael a Sant Sulien, Corwen

(Carreg 'Cleddyf Owain Glyndŵr' a Charreg Groes 12fed ganrif)

Map yr Ardal: OS Landranger 125
Cyfeirnod Map OS: SJ 079 433
Parcio: Mae digon o ddewis o lefydd parcio yng Nghorwen. Mae'r eglwys yng nghanol y dref ger y sgwâr.

Pennod 10
Eglwysi – y dirwedd archaeolegol / ddiwylliannol ehangach

Cyfnod: Canol Oesoedd

Eglwys Llangadfan a'r cysylltiad â William Jones

Wrth astudio archaeoleg eglwysi, mae angen edrych ar y cyd-destun ehangach yn ogystal ag unrhyw nodweddion pensaernïol. Yn achos Eglwys Llangadfan (Cyfeirnod Map OS: SJ 011103), hanes William Jones yw un o'r pethau mwyaf diddorol am y lle.

Does gen i ddim cof o astudio hanes William Jones, Llangadfan, tra oeddwn yn yr ysgol yn Llanfair Caereinion, ond tydi hynny ddim yn annisgwyl. Efallai y byddwn wedi cael mwy o'i hanes petawn wedi mynychu Ysgol Gynradd Dyffryn Banw – ond ar y llaw arall, byddai wedi cymryd tipyn o athro i sôn wrth y disgyblion am gymeriad fel William Jones. Tydw i ddim yn tueddu i gredu popeth sydd ar wefan Wikipedia, ond y disgrifiad o Jones ar y safle we hwnnw yw '*Welsh Radical*', nad yw'n ffordd rhy ddrwg o gael eich cofio, am wn i!

Yn hynafiaethydd, cafodd William Jones ei gydnabod gan Geraint H. Jenkins yn y *Welsh History Review* fel rhywun oedd yn gyfarwydd iawn â'i filltir sgwâr;

> Judging by the evidence of his letters and essays, which reveal a remarkably detailed knowledge of rivers, streams, pools, fish, fields, place-names, barrows, cairns and tumuli, he knew his locality like the back of his hand.

Mae ysgrifau Gutyn Padarn, *The Works of the Rev. Griffith Edwards (Gutyn Padarn) Late Vicar of Llangadfan Montgomeryshire. Parochial Histories of Llangadfan, Garthbeibio and Llanerfyl, Montgomeryshire*, hefyd yn ffynhonnell ddiddorol ar gyfer hanes Jones.

Cofeb William Jones

Y gair amlwg i'w ddefnyddio wrth ddisgrifio Jones yw 'amryddawn'. Dyfynnaf Geraint Jenkins eto;

> Parishioners knew of his gifts, too, as a country healer, musician, poet (his bardic name was Gwilym Cadfan), raconteur, astronomer, linguist, and eisteddfod adjudicator. His Ranter-like fondness for 'beer and base kisses' clearly raised eyebrows, especially in pious or genteel circles.

Mae astudio hanes William Jones yn dasg ddifyr dros ben. Heb os, rydym yn sôn am dipyn o gymeriad yma. Ei unig addysg oedd cyfnod yn un o ysgolion Griffith Jones, ond llwyddodd, rywsut, i feistroli Saesneg a Lladin. O safbwynt radicaliaeth, mae'n debyg i Voltaire gael cryn ddylanwad arno, a chefnogai achos y chwyldro yn yr Unol Daleithiau ac yn Ffrainc. Oherwydd ei gefnogaeth i'r Chwyldro Ffrengig, gorchmynnodd y Llywodraeth ei bod yn angenrheidiol iddynt agor a chwilio ei lythyrau, ac er mwyn osgoi hyn bu i Jones ddargyfeirio ei lythyrau at John Jones, Stonehouse (*Y Bywgraffiadur Cymreig*).

Cyhoeddwyd ei ddisgrifiadau o hanes plwyfi Llanerfyl, Llangadfan a Garthbeibio gan Gwallter Mechain yn y *Cambrian Register*, 1796.

Stori ddiddorol, a bron yn anghredadwy, amdano yw iddo lwyddo i'w iacháu ei hun o'r clefyd *inveterate scrofula* drwy roi cadach wedi hanner ei losgi ar ei glwyfau.

Casái 'Sais-addoliaeth', ac er iddo hel achau teuluoedd Cymreig gwrthododd wneud hyn gyda theuluoedd o dras Saesnig oherwydd (yn ei eiriau ei hun); 'I shall not take any notice of English pedigrees, lest I should trace their mushroom nobility to some bastard, arrant thieves, murderers, whether Saxon or Norman.'

Ar wal orllewinol yr eglwys, i'r gogledd o'r tŵr, gwelir cofeb lechen i William Jones a disgrifir ef arni fel gŵr amryddawn; 'Ysgolhaig, Athronydd, Bardd, Cofnodydd Dawnsiau Llangadfan, Warden yr Eglwys' – er bod lle i amau faint o ymroddiad oedd ganddo fel warden. Arni hefyd mae'r englyn hwn o waith ei ŵyr:

> Ethol Feddygyniaethydd – o bur ddysg
> > Bardd a gwych Hanesydd
> Aml ei rin ym min mynydd
> Cwynai llu pan ddarfu'i ddydd.
>
> > > > Evan Breeze (Ieuan Cadfan)

Nid dyma'r lle i adrodd hanes William Jones yn ei gyfanrwydd gan fod digon o ffynonellau yn bodoli.

Diddorol yw nodi mai ffermdy Dôl Hywel yng Nghwm Nant yr Eira oedd cartref William Jones, a gellir gweld olion bryngaer neu loc bychan yno (Cyfeirnod Map OS: SH 989078). Mae'r gaer yn cael ei nodi fel *Camp* ar yr hen fap OS 117 (1963).

Fel yn achos cynifer o eglwysi, mae gwaith adfer yn ystod yr 19eg ganrif wedi cuddio'r rhan fwyaf o'r olion cynnar. Yma yn Llangadfan mae'r waliau wedi eu rendro, felly amhosibl yw gweld y gwaith cerrig. Dyddia'r ffenestr berpendicwlar ddwyreiniol o'r 15fed ganrif, ond mae'r rhan fwyaf o'r nodweddion eraill yn dyddio o 1867 (Slater, 1991).

Gwyddom o Drethi Norwich 1254 fod eglwys yma, *Capella de Llankaduan*, felly mae hanes hir i'r eglwys. Cadfan o Lydaw oedd Abad cyntaf mynachdy Ynys Enlli, a'r stori yw ei fod wedi sefydlu'r eglwys yma yn Llangadfan ychydig cyn iddo symud i Enlli ar ddechrau'r 6ed ganrif.

Gerllaw mae Ffynnon Cadfan – rhaid cael caniatâd er mwyn gweld y ffynnon ei hun, sydd o dan y ffordd at yr eglwys, gan nad oes modd ei chyrraedd ond drwy ardd breifat.

Corffddelw Dafydd ap Gruffydd Fychan, Eglwys y Santes Fair, Llanfair Caereinion
Cyfnod: c. 1440

Wrth ymweld â Llanfair Caereinion yn 1932 awgrymodd y Cambrians (Cymdeithas Archaeolegol Cambrian) nad oedd fawr o ddiddordeb yn yr eglwys;

> An unnecessarily lengthy halt was made at Llanfair Caereinion. The church is of little interest. It was rebuilt in the 19th century, but embodies a thirteenth century south door, and old roof timbers of the fourteenth-fifteenth century.

Gadewch i mi anghytuno â phwy bynnag ysgrifennodd yr adroddiad blynyddol hwnnw yn 1932 – a hynny fel un a fagwyd yn Llanfair Caereinion. Do, fe ailadeiladwyd Eglwys y Santes Fair (Cyfeirnod Map OS: SJ 104065) yn 1868, ond mae corffddelw Dafydd ap Gruffydd Fychan, sydd nawr yn gorwedd ar ochr

Corffddelw Dafydd ap Gruffydd Fychan, Llanfair Caereinion

ogleddol y gangell, yn nodwedd o bwys ac yn perthyn i gyfnod hynod allweddol o safbwynt hanes Cymru. I fod yn deg â'r Cambrians, corffddelw Dafydd ap Gruffydd Fychan oedd eu diddordeb pennaf yn ystod eu hymweliad â Llanfair.

Awgryma Gresham ac eraill fod y drws deheuol yn wreiddiol, yn dyddio o'r 13eg ganrif, a bod coed hynafol yn y to. Os ydych am ymweld â'r eglwys hon, yn sicr mae corffddelw Dafydd ap Gruffydd yn bwysig iawn, ond mae'n werth ymweld hefyd â Ffynnon Fair ychydig i'r gorllewin o'r eglwys ac o fewn y fynwent ar lan afon Banw. Hefyd, dylid sylwi ar gloc haul Samuel Roberts (1775) ger y fynedfa i'r eglwys. Er i Roberts, gwneuthurwr clociau lleol, wneud dros 400 o glociau cyffredin, dyma un o dri chloc haul yn unig iddo eu cynhyrchu.

Corffddelw filwrol yw carreg Dafydd ap Gruffydd Fychan, ac mae'n debygol mai'r un cerflunydd oedd yn gyfrifol am garreg y marchog dienw yn Llaneurgain. Tybia Gresham fod gwneuthurwyr cerrig o'r fath yn defnyddio delwau stoc ar gyfer corffddelwau, felly does dim sicrwydd fod y wisg arfog hon yn cyd-fynd â'r union wisg y byddai Dafydd ap Gruffydd Fychan wedi ei gwisgo.

Mae ysgrifen ar hyd y *jupon* (y dilledyn tyn heb lewys a wisgid dros arfwisg yn niwedd y 14eg ganrif) ychydig o dan wast Dafydd: '*Hic Iacet Davit Ap Grvfyt Vychan*' – yma y gorwedd Dafydd ap Gruffydd Fychan – a tharian gydag arwyddbais ar fwcl ei wregys. Mae'n anodd peidio â sylwi mor denau yw gwasg Dafydd. Rhoddir yr esboniad y byddai marchog o'r fath wedi gwisgo arfwisg blatiog o dan y *jupon* gan wneud i'w frest ymddangos yn fwy. Disgrifia Gresham arfwisg Dafydd yn fanwl yn *Medieval Stone Carvings in North Wales*, tt 202–205.

Gwelwn gleddyf a chyllell (*dagger*) un bob ochr i Dafydd, ond yn y cyfnod yma (diwedd y 14eg ganrif) doedd dim tarian ar gorffddelwau oherwydd datblygiad a gwelliant yn yr arfwisgoedd; hynny yw, doedd ar y marchogion ddim cymaint o angen tarian i'w hamddiffyn. Dyma un ffordd amlwg o ddyddio corffddelwau o'r fath yn weddol hawdd – os oes tarian, mae'r gorffddelw yn un gynharach – yn achos Dafydd, gellir awgrymu dyddiad o ddiwedd y 14eg ganrif ymlaen.

Yr enw ar y gyllell yw *misericorde* a defnyddid hi ar gyfer ymladd agos. Y syniad oedd bod y gyllell i'w gwthio drwy'r miswrn (*visor*) neu unrhyw fan gwan yn yr arfwisg, er enghraifft, rhwng y platiau. Y dull yma o ymladd agos ac o daro'r ergyd farwol roddodd yr ystyr i *coup-de-grace*. *Hauberk* yw'r enw ar y wisg *chain-mail*.

Gorwedda traed Dafydd ar gefn llew, ond mae'r pen ar goll bellach. Mae llewod wrth draed corffddelwau o ddynion yn arwydd o gryfder a phwysigrwydd, gan mai'r llew yw brenin yr anifeiliaid. Yn ogystal, mae cysylltiad â'r Atgyfodiad gan fod cred yn y Canol Oesoedd fod cenawon llewod a aned yn farw yn atgyfodi ar ôl tridiau drwy gyfrwng anadl y fam.

Yn ôl un stori, bu farw Dafydd yn ymladd dros achos Owain Glyndŵr, ond o safbwynt eu hoedran, mae'n fwy tebygol mai ei fab, Maredydd, a'i wyrion, Owen, Dafydd a Gruffudd, fyddai wedi cymryd rhan yng ngwrthryfel Glyndŵr. Gwyddom i Maredydd gael pardwn Harri V ar 26 Mai 1418, gan Edward de Charleton, Arglwydd Powys, a bod yr wyrion wedi cael pardwn tebyg yn 1417.

Roedd Dafydd ap Gruffydd Fychan yn dirfeddiannwr ym Mhowys ar yr un adeg ag Owain Glyndŵr, felly dychmygwn fod eu bywydau gwledig, cyfforddus yn ddigon tebyg cyn 1400. Stadau Rhiwhiriaeth ger Llanfair Caereinion a Neuadd Wen a Choed Talog ym mhlwyf Llanerfyl oedd ym meddiant Dafydd. Dywedir i Wenwynwyn o Bowys roi tiroedd i Maredydd ap Cynan ap Owain Gwynedd yn 1202 ar ôl iddo gael ei alltudio gan Llywelyn Fawr yng Ngwynedd, ac mai o dras Maredydd y daw Dafydd ap Gruffydd Fychan.

Corffddelw Elizabeth, gwraig Dafydd ap Gruffudd, Eglwys Sant Mihangel, Caerwys
Cyfnod: 1282-1350

Mae'r gorffddelw hon ar ochr ddeheuol y gangell o dan ganopi neu nenlen addurnedig o ddiwedd y 14eg ganrif. Gwelwn fod y wraig yn gwisgo gwimpl am ei phen a gwisg gyda phlygiadau ynddi, ond mae'r gorffddelw wedi treulio yn ofnadwy dros y

Corffddelw Elizabeth Ferres

blynyddoedd, a does fawr o nodweddion amlwg sy'n ein galluogi ni i ddyddio'r garreg na chadarnhau yn union pwy yw'r wraig sy'n cael ei choffáu yma.

Yn ôl yr hanes, hwn oedd man gorffwys Elizabeth Ferres, gwraig Dafydd ap Gruffudd (brawd Llywelyn ap Gruffudd). Y cysylltiad lleol, mae'n debyg, yw'r awgrym bod Dafydd wedi byw ym Maesmynan, ychydig i'r de o Gaerwys.

Yr arbenigwr ar gorffddelwau o'r cyfnod yma yw Colin Gresham. Ei lyfr *Medieval Stone Carvings in North Wales, Sepulchral Slabs and Effigies of the Thirteenth and Fourteenth Centuries* (1968) yw'r 'gwerslyfr', ond tydi Gresham hyd yn oed ddim yn gallu cadarnhau mai corffddelw Elizabeth Ferres sydd yn Eglwys Caerwys (Cyfeirnod Map OS: SJ 128728). Y tebygolrwydd yw bod y stori leol wedi ei derbyn a'i throi'n wirionedd dros y blynyddoedd.

Pwy bynnag sy'n gorwedd yma, fe allwn ddadlau fod cael rhywle i gofio am Elizabeth Ferres yn bwysig, fel yn achos arch garreg Llywelyn ab Iorwerth yn Llanrwst – yn amlwg tydi Llywelyn ddim yn gorwedd yno. Priodol hefyd yw i ni ein hatgoffa'n hunain o dranc Gwladys, merch Dafydd ac Elizabeth. Fel yn achos ei chyfnither, Gwenllïan, cael ei gyrru i leiandy yn Swydd Lincoln am weddill ei hoes oedd ffawd Gwladys, fel nad oedd modd i'r llinach barhau.

Cymeriad diddorol yw Dafydd ap Gruffudd. Ei ymosodiad ef ar Benarlâg yn 1282 arweiniodd at y rhyfel olaf yn erbyn Edward I. Canlyniad uniongyrchol hynny oedd cwymp Llywelyn ym mis Rhagfyr 1282 ac, felly, ddiwedd annibyniaeth Cymru yng ngwanwyn/haf 1283. Dyma rywbeth sy'n ein corddi hyd heddiw. A oes disgybl ysgol yng Nghymru nad yw'n ymwybodol o'r flwyddyn 1282 (gofynnaf yn obeithiol)?

Rhywsut, rydym wedi llwyddo i golli darn pwysig o'n hanes. Llywelyn Ein Llyw Olaf sy'n cael ei gofio, ac anturiaethau Dafydd a'i feibion, Owain a Llywelyn, wedi mynd yn angof. Tydi pwysigrwydd cestyll Dolwyddelan, Dolbadarn a'r Bere, yn sicr yn ystod hanner cyntaf 1283, ddim yn cael eu cofio. Dydi pwysigrwydd y 'llys' yn Abergwyngregyn ddim yn cael ei gofio mwy na'r ucheldir o amgylch Bera i'r de o Abergwyngregyn lle daliwyd Dafydd gan filwyr Edward I.

Diwedd y daith i Dafydd oedd cael ei ddienyddio yn Amwythig. Cafodd ei grogi, ei dynnu a'i chwarteru ar 3 Hydref 1283. Dyma'r achos cyntaf o ddienyddiad am deyrnfradwriaeth, yn ôl pob sôn, a gwnaed hynny'n gyhoeddus iawn ar strydoedd Amwythig.

Mae sawl rheswm arall dros ymweld ag Eglwys Sant Mihangel yng Nghaerwys. Gall y rhai sydd â diddordeb mewn ffenestri lliw ryfeddu at ffenestr Henry Dearle (Cwmni William Morris, gweler Pennod 11), ffenestr hyfryd a lliwgar Henry Gustav Hiller ac, wrth gwrs, y ffenestr yn cofnodi Eisteddfod Caerwys 1523/24 ar y wal orllewinol. Rheswm arall, efallai, fyddai'r cloc haul rhestredig Gradd II yn y fynwent.

Cysylltiad arall diddorol yw mai Hiller oedd yn gyfrifol am ffenestr goffa John Ceiriog Hughes yn Neuadd Goffa Glyn Ceiriog. Ceir ffenestri eraill gan Hiller yn Llansannan, Llanbedrycennin, Deganwy, Santes Marchell ger Dinbych a Llanllwchaearn ger y Drenewydd.

Wrth basio trwy Gaerwys efallai y byddwch yn sylwi ar y

gofeb i Myfanwy Talog ar ochr y bwthyn lle'i ganwyd ar y Stryd Fawr. Yr actores boblogaidd hon a leisiodd gymeriad Wil Cwac Cwac a'r genod yng nghartŵn Swperted. Roedd Myfanwy yn briod â David 'Del Boy' Jason ac yn gyfarwydd i gynulleidfaoedd Cymraeg fel y cymeriad Phyllis Doris yn *Ryan a Ronnie*.

Eglwys Sant Cyndeyrn, Llanasa
Cyfnod: Canol Oesoedd

Dywedir bod rhai o'r ffenestri yn yr eglwys hon (Cyfeirnod map OS: SJ 106814) wedi dod o Abaty Dinas Basing, sef yr abaty Sistersaidd cyfagos (SJ 196774), ond heb os y nodwedd sydd o ddiddordeb i ni o safbwynt hanes Cymru yw'r garreg fedd ganoloesol sy'n gorwedd ar ochr ddeheuol yr eglwys ger yr organ. Honnir mai dyma garreg fedd Gruffydd Fychan, sef tad Glyndŵr.

Does neb yn siŵr pryd yn union y dechreuodd y stori fod Gruffudd wedi ei gladdu yma, ond tybir bod mwy o debygolrwydd

Carreg fedd Gruffudd Fychan

mai carreg goffa i Gruffudd Fychan o deulu Griffiths, Pant-y-Llongdu, Gwesbyr, yw hon mewn gwirionedd. Roedd y math yma o slabyn beddrodol yn ffasiynol yn ystod y 14eg a'r 15fed ganrif, a gwelwn law yn dal cleddyf a tharian gyda llew yn sefyll arni – er bod y cerfiad o lew yn debycach i gath mewn gwirionedd!

Os ydym am ddilyn hanes Glyndŵr mae'n rhaid cynnwys Eglwys Sant Cyndeyrn, ond fel gyda cymaint o'r straeon sy'n gysylltiedig â fo, mae 'posibilrwydd' wedi troi'n 'ffaith', ac mae arwyddbais Glyndŵr ger y garreg fedd yn atodiad diweddar i awgrymu mai yma y claddwyd tad Glyndŵr.

Mae amwysedd tebyg yn achos corffddelw Iorwerth Drwyndwn, tad Llywelyn Fawr a mab Owain Gwynedd, yn eglwys Santes Melangell ger Llangynog (SJ 024265), a rhaid chwerthin wrth sylwi fod trwyn y gorffddelw yma wedi torri dros y blynyddoedd gan wneud iddi ymddangos yn eithaf 'trwyndwn'. Honnir hefyd bod carreg fedd o'r 13eg ganrif yn Eglwys Sant Tudclud, Penmachno (SH 790506) yn perthyn i Iorwerth, er bod llyfryn eglwys Sant Tudclud yn datgan mai mewn brwydr ger Pennant Melangell y lladdwyd Iorwerth oddeutu 1174 pan oedd Llywelyn yn ifanc iawn.

Felly, pa garreg neu gorffddelw, os o gwbl, sy'n perthyn i Iorwerth Drwyndwn? Gallwn ddadlau fod y ddwy eglwys yr un mor hynod, Penmachno am ei cherrig Cristnogol cynnar a Phennant Melangell am y sgrin gerfiedig yn dangos stori Melangell.

Pennod 11
Ffenestri Lliw William Morris & Co.

Cyfnod: ail hanner 19eg ganrif – dechrau'r 20fed ganrif

Fwy nag unwaith rydw i wedi awgrymu bod graffiti'r Free Wales Army (FWA) yn rhan o'r dirwedd archaeolegol, ac estyniad o'r un ddadl sy'n y bennod hon. Wrth edrych ar ein heglwysi, yn hen a newydd, does dim modd (ac ni ddylid, ar unrhyw gyfrif) anwybyddu'r ffenestri lliw sydd ynddynt – felly, yn y bennod hon fy mwriad yw canolbwyntio i raddau helaeth ar ffenestri'r cyfnod Fictoraidd sy'n perthyn i gwmni William Morris & Co. ac yn amlach na pheidio yn gynlluniau o eiddo Edward Burne-Jones.

Prin yw'r cysylltiadau Cymreig yng nghyd-destun Morris (roedd tad Burne-Jones yn Gymro) a does dim arwyddocâd penodol i'r ffenestri heblaw eu bod yn ffenestri coffa, a gwelir ffenestri tebyg mewn eglwysi ledled Prydain. Gallwn fod wedi sgwennu pennod yr un mor hawdd am y darnau o ffenestri canoloesol sydd wedi goroesi yng Nghymru, ond mae ffenestri Morris & Co. yn haeddu sylw am eu prydferthwch, eu lliwiau trawiadol ac am y ffaith fod William Morris yn sicr wedi cael dylanwad mor bellgyrhaeddol drwy chwarae rhan mor amlwg yn y mudiad Celfyddyd a Chrefft (Arts & Crafts).

Gellid sgwennu llyfr cyfan am nodweddion pensaernïol eglwysi Cymru, a does dim prinder cofebion a bedyddfeini (sy'n aml iawn ymhlith y pethau hynaf mewn eglwys) ynddynt i'w hedmygu. Mewn gwirionedd, mae angen trin pob eglwys fel tirwedd archaeolegol a phensaernïol unigryw – ac mae angen mwynhau pob ymweliad drwy ymdrin â'r holl elfennau hyn. Rwyf wedi tynnu sylw at rai nodweddion archaeolegol eglwysig ym mhenodau 5 a 10, ond y bwriad yma yw canolbwyntio ar y ffenestri lliw.

O safbwynt hanes ffenestri lliw yn eglwysi Cymru, y ffynhonnell fwyaf cynhwysfawr yw llyfr Martin Crampin, *Stained Glass from Welsh Churches* (2014), ond dylid ystyried gwefan y

Llyfrgell Genedlaethol, http://stainedglass.llgc.org.uk, eto dan ofal Crampin, yn adnodd heb ei ail a hollol hanfodol ar gyfer astudio ffenestri lliw yng Nghymru,.

Wrth ddechrau astudio hanes y ffenestri lliw Fictoraidd yma, buan iawn y mae rhywun yn sylweddoli mai ffenestri i goffáu ydynt, a bod teuluoedd lleol, ymysg y mwyaf cefnog, wedi talu amdanynt ac wedi archebu cynllun arlunydd fel Burne-Jones drwy gwmni Morris & Co. Y cefnog yn aml fyddai'n talu am adnewyddu ac ailgodi eglwysi yn ystod y 19eg ganrif, ac yn yr un modd nhw fyddai'n talu am ffenestri lliw i gofio am eu ceraint. Byddai'r teuluoedd cefnog o ganlyniad yn amlwg yn eu nawdd i'r eglwys leol er budd a defnydd y gymuned gyfan.

Ffasiwn y dydd oedd dewis cynlluniau gan gwmnïau fel Morris & Co. ar gyfer ffenestri eglwysi. Cynlluniau parod oedd yn cael eu harchebu, nid o reidrwydd cynllun o'r newydd, ac mae hyn yn egluro pam mae rhai o'r ffenestri yn dyddio o'r cyfnod ar ôl marwolaeth Burne-Jones yn 1898. Gyda phoblogrwydd ffenestri lliw ar dwf tua diwedd y cyfnod Fictoraidd, daeth yn arferol i'r cwmnïau ffenestri lliw weithredu mwy fel cwmnïau masgynhyrchu, gan ailddefnyddio cynlluniau ledled y wlad. Yn ddifyr, does yr un enghraifft (y gwn i amdani, beth bynnag) o ffenestri Morris & Co. yng nghapeli Cymru – dim ond yn yr eglwysi.

Perthyn Edward Coley Burne-Jones a William Morris i'r ail don o frawdoliaeth y Cyn-Raffaeliaid. Sefydlwyd y frawdoliaeth wreiddiol gan John Everett Millais, William Holman-Hunt a Gabrielle Dante Rossetti yn 1848. Roedd Burne-Jones a William Morris yn gyfeillion agos, a disgrifir Burne-Jones fel 'yr olaf o'r Cyn-Raffaeliaid' gan Fiona MacCarthy, ei fywgraffydd. Ymddengys i Morris fod mewn cariad â Georgina Burne-Jones (gwraig Edward Burne-Jones) a bu llythyru cyson rhyngddynt am y rhan fwyaf o fywyd Morris. Bu Rossetti, ar y llaw arall, mewn cariad â Jane Morris (gwraig William Morris) am flynyddoedd, a'r holl luniau a greodd o Jane Morris yn dyst i 'obsesiwn' Rossetti gyda gwraig ei ffrind.

O astudio'r delweddau Cyn-Raffaelaidd, hyd yn oed yn y

ffenestri lliw, gwelir bod naws benodol i'r cymeriadau. Os nad Jane Morris roddodd yr 'awen' i Morris, Burne-Jones neu Rossetti, byddai'r ysbrydoliaeth wedi dod o gylch cyfyng iawn o ferched, neu fodelau, fel Lizzie Siddal neu Maria Zambaco. Roedd y modelau yma'n cyfleu'r perffeithrwydd Cyn-Raffaelaidd o wallt hir coch crinclyd a phryd a gwedd ddigon llwyd a thenau. Gwelais ddisgrifiad unwaith o'r merched yma fel 'arwresau Arthuraidd', a beth bynnag yw ystyr 'Arthuraidd' go iawn, teimlais fod y disgrifiad yn addas o ran cyfleu naws, ymdeimlad ac angerdd y Cyn-Raffaeliaid.

Yr hyn sydd wedi bod yn ofnadwy o anodd yw darganfod unrhyw gysylltiad go iawn rhwng y Cyn-Raffaeliaid a Chymru. Efallai fod Burne-Jones, a aned yn Birmingham yn 1833, yn fab i un o dras Cymreig, Edward Richard Jones a fagwyd yn Llundain, ond does dim awgrym o gwbl o unrhyw ddylanwadau Cymreig arno yn ei yrfa. Felly hefyd yn achos William Morris – hyd yn oed petai o'n hanu o dras Cymreig, doedd fawr o ymdeimlad Cymreig yn perthyn iddo na'i waith, ac fel yr awgrymodd y bywgraffydd J.W. Mackail yn 1899:

> In spite of his Welsh blood and of that vein of romantic melancholy in him which it is customary to regard as of Celtic origin, his sympathies were throughout with the Teutonic stocks ... for Welsh poetry he did not care deeply.

Heblaw lluniau mewn orielau ac amgueddfeydd, ychydig sy'n cysylltu Holman-Hunt a Millais â Chymru, ond mae triptych Rossetti yng nghapel Euddogwy, Eglwys Gadeiriol Llandaf, yn sefyll allan fel un o'r darluniau Cyn-Raffaelaidd mwyaf amlwg yn y dirwedd gelfyddydol Gymreig. Defnyddiwyd delwedd o wyneb William Morris gan Rossetti ar gyfer pen y Brenin Dafydd yn y triptych, a Burne-Jones fel sail ar gyfer y bugail sy'n estyn ei law i'r Iesu. Enghraifft wych o gyfeillgarwch agos yr arlunwyr yma.

Os yw rhywun yn ymddiddori yng nghelf y Cyn-Raffaeliaid, mae'n werth ymweld â Chadeirlan Llandaf gan fod yno bum ffenestr o wneuthuriad a chynllun Morris & Co. gan gynnwys delweddau gan Morris ei hun, Burne-Jones a Ford Madox Brown.

Ond efallai mai'r gwaith serameg gan Burne-Jones yng Nghapel
Dyfrig yma yn Llandaf yw'r darn mwyaf trawiadol Cyn-
Raffaelaidd i mi ei weld erioed. Delweddau o Chwe Diwrnod y
Greadigaeth sydd yno, ac mae delwedd Jane Morris yn amlwg yn
y gwaith bendigedig.

Awgryma'r hanesydd celf Peter Lord fod dylanwad John
Ruskin a William Morris wedi treiddio i'r byd celf Cymreig ar
ddiwedd y 19eg ganrif wrth i arlunwyr Cymreig werthfawrogi
'urddas llafur a medrau crefft y bobl gyffredin'. Awgryma Lord
fod cyfrol O. M. Edwards a'r arlunydd Samuel Maurice Jones o
Gaernarfon, *Cartrefi Cymru* (1896), yn ganlyniad i waith
cenhadu William Morris o safbwynt cyflwyno celf i bobl ar lawr
gwlad – mae ynddo luniau, er enghraifft, o gartref Ann Griffiths,
Dolwar Fach, gan Maurice Jones sy'n rhan o'r syniadaeth
genedlgarol Ramantaidd yma.

Er bod William Morris o gefndir cefnog, bu'n sosialydd
amlwg yn ystod ei fywyd, a sefydlodd y Gynghrair Sosialaidd yn
1884. Yn ei waith celf rhoddodd bwyslais ar symlrwydd ac
ymarferoldeb pethau, ac un o'i ddyfyniadau enwocaf yw '*have
nothing in your house that you do not know to be useful, or
believe to be beautiful*'.

Yn ystod ail hanner y 19eg ganrif datblygodd y mudiad
Celfyddyd a Chrefft fel adwaith yn erbyn holl ddatblygiadau
diwydiannol y dydd, a bu Morris yn ffigwr amlwg gyda'r mudiad
hwn. Esbonia hyn ei bwyslais celfyddydol ar y werin bobl yn
hytrach na'r 'arwresau Arthuraidd' blaenorol – a hyn, efallai, a
gyffyrddodd â'r artistiaid Cymreig, chwedl Lord.

Heddiw, dylid defnyddio gwaith William Morris i'n hysbrydoli.
Tybed oes modd trawsblannu syniadaeth Morris i'r ardd
Gymreig, a mwynhau ei ffenestri oherwydd eu hanes yn ogystal
â'u celfyddyd a'u lliwiau? Os ydych am ddarllen mwy am William
Morris a Burne-Jones, does dim modd rhagori ar gofiannau
cynhwysfawr yr arbenigwraig Fiona MacCarthy i'r ddau. Mae
manylion y cyfrolau yn y llyfryddiaeth ar ddiwedd y gyfrol hon.

Eglwys y Santes Fair, Betws-y-coed

Mae'r hen eglwys ym Metws-y-coed, Eglwys Sant Mihangel, y tu ôl i'r orsaf drenau. Mae'n dyddio o ddiwedd y 14eg ganrif, ond mae'n debyg bod safle yma'n cael ei ddefnyddio at ddibenion crefyddol cyn hynny gan fod sôn am eglwys yma yng Nghofnodion Treth Norwich, 1254. Un o nodweddion archaeolegol amlycaf eglwys Sant Mihangel yw corffddelw Gruffudd ap Dafydd Goch, a oedd, yn ôl y sôn, yn ŵyr i Dafydd ap Gruffudd (brawd Llywelyn ap Gruffudd).

Adeiladwyd yr eglwys newydd, y Santes Fair, yn 1873 yn sgil y twf mewn poblogaeth (ac ymwelwyr) o ganlyniad i adeiladu'r A5 gan Thomas Telford yn yr 1820au, ac yn ddiweddarach yn 1863, gyda dyfodiad y rheilffordd. Cynllunydd yr eglwys newydd oedd Hubert Austin o gwmni penseiri Paley ac Austin o Gaerhirfryn, er iddi gael ei hadeiladu gan ŵr lleol, sef Owen Gethin Jones o Benmachno (un o gyfoedion Gwilym Cowlyd ac Arwest Glan Geirionydd).

Fe gollodd cwmni Owen Gethin swm sylweddol o arian wrth adeiladu'r eglwys, £400 yn ôl y sôn, ac yn ei gyfrol *Owen Gethin Jones, Ei Fywyd a'i Feiau* mae'r awdur Vivian Parry Williams yn adrodd, 'honnir i'r golled beri gymaint o loes i Gethin yn bersonol fel y byddai'n troi ei ben i gyfeiriad arall bob tro yr âi heibio'r eglwys wedi hynny, rhag ei atgoffa o'r methiant ariannol.'

Ceir dwy ffenestr o waith Morris & Co. yn Eglwys y Santes Fair, a gellir gweld y ddwy ar y wal orllewinol, un bob ochr i gorff yr eglwys. Efallai y bydd rhai yn cwestiynu fy newis i gynnwys Betws-y-coed yn y gyfrol hon ar archaeoleg dwyrain a chanolbarth Cymru, ond mae'r ddwy ffenestr yn werth eu cynnwys mewn pennod ar waith William Morris & Co. felly dyma ymestyn ychydig ar y ffiniau daearyddol.

Ar wal orllewinol yr ystlys ddeheuol gwelir 'Yr Heuwr' ('The Sower'), ffenestr yn dyddio o 1919 yn dangos yr Iesu yn hadu ar y panel uchaf a Paul yn pregethu yn Athen ar y panel isaf. Gellir adnabod Paul wrth ei ben moel, ac yn y llun gwelwn ef yn pregethu yn Aeropagus, Athen, o flaen allor y duw dienw (*Deo Ignoto*). Darlunio cyflwyno'r efengyl mae'r ddau banel, a hynny i'r rhai sydd am ei derbyn a'r rheiny nad ydynt – a hynny heb wahaniaethu rhyngddynt. Ar wal orllewinol yr ystlys ogleddol cawn ffenestr bâr 'yr Heuwr', sef 'Salvator Mundi', hefyd o 1919. Ar y panel isaf gwelwn yr Iesu yn bendithio'r plant (Marc 10:14): 'Gadewch i blant bychain ddyfod ataf fi, ac na waherddwch iddynt, canys eiddo'r cyfryw rai yw teyrnas Dduw.' Y cynllunydd John Henry Dearle oedd yn gyfrifol amdani ar ran Morris & Co. ac erbyn 1916 roedd ailddefnyddio delweddau neu gartwnau megis 'Salvator Mundi' yn beth cyffredin – gwelwn yr un ddelwedd yn eglwys Sant Martin, Hwlffordd. Does dim sicrwydd mai cynllun Burne-Jones oedd hwn – efallai mai cartŵn gan Dearle sydd yma yn efelychu arddull Edward Burne-Jones. Yn Saesneg, wrth drafod celf mae rhywun yn disgrifio dylanwad o'r fath fel '*after Burne-Jones*'. Dearle sydd hefyd yn gyfrifol am ffenestr Morris & Co. yn Eglwys Caerwys a ffenestr i goffáu'r Rhyfel Mawr yn Eglwys Sant Gwenfaen, Rhoscolyn, Ynys Môn.

Yr hyn sydd hefyd o ddiddordeb yma yn Eglwys y Santes Fair yw bod tair ffenestr, 'Ffydd, gobeith ac elusen' ('Faith, Hope and Charity') gan James Powell & Sons (1880), wedi eu cynllunio gan Henry Holiday ac yn dangos dylanwad pendant Burne-Jones o

Gadewch i blant bychain ddyfod ataf fi

'Ffydd, Gobaith, Elusen' / 'Faith Hope & Charity'
Henry Holiday 1880

gyfnod y Symudiad Aesthetaidd (*Aesthetic Movement*). Gwelir ynddynt hefyd y lliwiau gwyrddfelyn a gysylltir yn draddodiadol â chwmni Morris & Co. (Crampin t.168).

Bu Holiday yn ymwelydd cyson â Betws-y-coed yn ystod ail hanner y 19eg ganrif, sef y cyfnod pan grewyd y gymuned ffurfiol gyntaf i arlunwyr yn y wlad (*artists' colony*), pan fyddai artistiaid yn cyfarfod yng ngwesty'r Royal Oak yn y pentref. Sefydlwyd y gymuned hon o arlunwyr gan gymeriadau adnabyddus megis David Cox a Clarence Whaite (sefydlydd Cymdeithas Frenhinol y Cambrian, Conwy, 1881) a oedd yn treulio llawer o amser yma er mwyn creu eu paentiadau tirluniol o amgylch yr ardal. Yn wir, bu i Holiday briodi Catherine (Kate) Raven yn yr eglwys hon yn 1864, cymaint ei gysylltiad â'r ardal.

Ffenestr goffa i frawd Kate, sef yr arlunydd John Raven a foddwyd yn Harlech yn 1877, yw ffenestr Holiday yma yn Eglwys y Santes Fair. Os byddwch yn digwydd galw yn y Royal Oak ar eich teithiau, chwiliwch am un o luniau David Cox sydd i'w gweld heddiw yn y bar yno.

Yn 1860 daeth Whaite yn aelod o Glwb Hogarth gyda Rossetti, Morris a Ford Madox Brown, ac yn ôl Peter Lord (2000) roedd Whaite yn ffyddlon i gred y Cyn-Raffaeliaid fod angen cyfleu natur mor agos a real â phosibl.

Bu nifer o gynllunwyr a gysylltir â Morris & Co. yn cynllunio ffenestri lliw ar gyfer cwmni Powell & Sons cyn iddynt ymuno â William Morris ar ôl sefydlu'r cwmni yn 1861, gan gynnwys Burne-Jones a Henry Ellis Wooldridge. Wooldridge sy'n gyfrifol am ffenestr ddwyreiniol Eglwys Sant Pedr, Niwbwrch, Môn, sy'n dangos ffigyrau yn yr arddull Cyn-Raffaelaidd. Bu Wooldridge yn gymhorthydd i Burne-Jones.

Bu J. W. Brown yn cynllunio ar gyfer Morris & Co. cyn mynd i weithio i Powell & Sons, a Brown sy'n gyfrifol am ffenestr orllewinol Eglwys Crist, Bwlch y Cibau (1877). Dechreuodd Brown ei yrfa fel peintiwr ffenestri lliw, ond ymhen amser daeth yn olynydd i Holiday fel prif gynllunydd Powell & Sons. Heb os, mae dylanwad Morris & Co. i'w weld ar waith Brown.

Eglwys y Santes Marged/Margaret (yr Eglwys Farmor), Bodelwyddan

Ffenestri o gynlluniau'r Gwyddel Michael O'Connor yw'r rhai mwyaf cyffredin yn eglwys y Santes Margaret, Bodelwyddan, er bod tair ffenestr yma o gynllun T. F. Curtis. Yn ôl y llyfryn tywys, mae'r ffenestr ganolog ar ochr ogleddol y gangell yn un o gynlluniau Burne-Jones, ond yn ôl yr arbenigwr Martin Crampin, y cynllunydd yw George Measures Parlby o gwmni Ward & Hughes, 1885. Os yw Crampin yn gywir, a thybiaf ei fod, mae angen diweddaru'r wybodaeth sydd ar gael i'r cyhoedd ym Modelwyddan. A dweud y gwir, o astudio cynlluniau Burne-Jones a Morris & Co. mae'n weddol amlwg nad yw'r ffenestr yma yn yr arddull Gyn-Raffaelaidd arferol a gysylltir â Burne-Jones a William Morris – tydi'r ffigyrau yn sicr ddim yn rhai â naws Cyn-Raffaelaidd iddynt.

Un rheswm dros gysylltu'r ffenestr 'Lilïau yn y Cae' ('Lilies in the Field') â Burne-Jones yw'r cyfeillgarwch rhwng teulu Margaret Williams (Bodelwyddan) a'r Gladstones ym Mhenarlâg,

Ffenestr George Measures Parlby

a rhywsut mae'r stori wedi goroesi fod y ffenestr yma o gynllun Burne-Jones. Roedd y Gladstones yn gyfeillion agos i Burne-Jones.

Pan fyddwch yn yr eglwys mae'n werth taro golwg ar fedyddfaen hyfryd o wneuthuriad Peter Hollins i gofio am Mary Charlotte Lucy ac Arabella Antonia o deulu Bodelwyddan, sydd wedi ei greu o farmor Carrara. Yn ogystal, os bydd rhywun yn ymweld â'r Eglwys Farmor, mae'n rhaid taro golwg ar feddau'r Canadiaid, 83 ohonynt, a fu farw o'r ffliw yng Ngwersyll Cinmel yn ystod 1918–19. Rwy'n amau'r stori fod y milwyr wedi eu saethu oherwydd anghydfod ynglŷn ag amodau byw yn y gwersyll, er yn sicr bu gwrthdaro yno ym Mawrth 1919 pan laddwyd rhai unigolion. Er bod y Canadiaid wedi byw trwy'r Rhyfel Mawr, diwedd trist iawn a gawsant wrth ddisgwyl am gludiant yn ôl i Ganada ar ddiwedd y Rhyfel. Mae sôn bod yr Americanwyr wedi cael blaenoriaeth o safbwynt llefydd ar longau.

Adeiladwyd Eglwys y Santes Margaret rhwng 1856 ac 1860 gan ddefnyddio calchfaen o ogledd Cymru, ac mae'r enw 'Eglwys Farmor' yn cyfeirio at y marmor a ddefnyddiwyd ar gyfer y colofnau o fewn yr eglwys. Nid eglwys hynafol yw hon, ond eglwys a godwyd gan Margaret a Hugh o deulu Bodelwyddan, yn bennaf oherwydd awydd Margaret i weld eglwys blwyf ym Modelwyddan. Yn Llanelwy roedd yr eglwys agosaf cyn hynny. Er mai rhyw fath o brosiect ar gyfer hunanfoddhad y boneddigion oedd yr adeilad hwn, mae'n eglwys hynod ddiddorol o ran nodweddion pensaernïol ac yn un gwerth ymweld â hi.

Eglwys Sant Mihangel, Caerwys

Erbyn y 1880au roedd sylw William Morris wedi troi fwyfwy at sosialaeth, ac o'r cyfnod hwn ymlaen John Henry Dearle (1860–1932) oedd yn bennaf gyfrifol am oruchwylio ffenestri'r cwmni. Dechreuodd Dearle ei yrfa fel gwerthwr cynorthwyol yn un o siopau arddangos Morris & Co. yn 1877 a chafodd hyfforddiant gan Morris fel cynllunydd defnyddiau a ffenestri lliw. Heb os roedd dylanwad y Cyn-Raffaeliaid ar waith Dearle, a bu'n gweithio'n agos gyda Burne-Jones ar gynlluniau dros y blynyddoedd.

Ffenestr Morris & Co

185

Rhaid bod Morris wedi sylwi ar ddawn a photensial Dearle, a datblygodd ei yrfa'n gyflym o fewn y cwmni. Dearle, er enghraifft, oedd prif gynllunydd y cwmni erbyn i'r gweithdai symud i Merton Abbey yn 1881. Yn dilyn marwolaeth Morris yn 1896 penodwyd Dearle yn Gyfarwyddwr Artistig y cwmni, ac ar ôl marwolaeth Burne-Jones yn 1898 Dearle oedd prif gynllunydd y ffenestri lliw. Bu farw Dearle yn 1932 ar ôl gwasanaethu'r cwmni am 54 o flynyddoedd. Ef oedd yr olaf o griw gwreiddiol Morris & Co.

Ym mlynyddoedd olaf yr 20fed ganrif bu ailasesiad o waith Dearle gan ysgolheigion celf, a bellach mae ei waith a'i gyfraniad yn cael ei werthfawrogi. Gan iddo weithio yng nghysgod Morris a Burne-Jones yn ystod y blynyddoedd cynnar, efallai na werthfawrogwyd ei gyfraniad yn llawn yn ystod ei yrfa, ac awgrymir bod nifer o'i gynlluniau wedi eu cydnabod fel rhai Morris neu rai Morris & Co. heb ei enwi ef yn artist.

Cawn enghraifft hyfryd o waith Dearle, sef 'Gofwy Crist' (1936) ar ochr ddwyreiniol wal ddeheuol corff yr eglwys, gyda'r dyfyniad '*My Soul Doth Magnify The Lord*' o dan y llun. Daw'r stori o Luc 1: 39-56. Enghreifftiau yw'r rhain o ddelweddau neu gartwnau newydd gan Morris & Co. yn lle rhai Burne-Jones. Rhoddwyd delweddau newydd o waith Dearle, er enghraifft, yn Eglwys Sant Ioan yn Nhre-gŵyr, a delweddau newydd gan W. H. Knight, eto yn enw Morris & Co. yn Eglwys Dewi Sant, Llanfaes, Aberhonddu.

Ffenestr arall drawiadol iawn yng Nghaerwys yw'r un gan Henry Gustav Hiller (1865-1946), eto ar wal ddeheuol corff yr eglwys, sef ffenestr yn dehongli Cyfarchiad Gabriel (*Annunciation*) oddeutu 1937. Gwelwn Mair yn penlinio a Gabriel yn y ffenestr ar y dde iddi. Roedd y lliwiau cryfach a ddatblygwyd yn y 1920au yn caniatáu i Hiller ddefnyddio glas ac oren yn y ffenestr hon yng Nghaerwys. Yn ogystal â'r ffaith fod yr oren a'r glas yn hynod drawiadol, mae'n hollol nodweddiadol o waith Hiller ac mae ffenestr debyg o'i waith yn Llanllwchaearn (gweler diwedd y bennod hon).

Awgryma Crampin fod hon, o bosib, yn enghraifft o waith hwyrach Hiller. Rydym yn credu iddo ymddeol i Ynys Môn rywbryd rhwng 1936 ac 1940, a bu'n byw yn Rollerstone, Sandy Lane, Rhosneigr, hyd ei farwolaeth ar 20 Awst 1946. Un broblem o safbwynt cadarnhau fod hon yn ffenestr o waith Hiller yw bod ei gwmni, H. G. Hiller & Co. wedi peidio â bod yn 1932.

Cysylltir Hiller yntau â'r cyfnod Celfyddyd a Chrefft. Wedi ei hyfforddi gan Walter Crane yn Ysgol Gelf Manceinion aeth Hiller yn ei flaen i sefydlu ei stiwdio ei hun yn Lerpwl oddeutu 1904, a gwelir enghreifftiau cynnar o'i waith yn eglwysi Llanbedrycennin, Llansannan a Llanfarchell ger Dinbych (Crampin, t.179). Enghraifft hwyrach o waith Hiller sydd yn eglwys Llanllwchaearn. Gyda llaw, Hiller sydd hefyd yn gyfrifol am ffenestr goffa John Ceiriog Hughes yn Neuadd Goffa Ceiriog, Glyn Ceiriog. Yn yr un neuadd cawn ffenestr gan gynllunydd arall i goffáu Ann Griffiths.

Gwelwn hefyd Ffenestr Eisteddfod Caerwys 1523 yn uchel ar wal orllewinol Eglwys Sant Mihangel. Eto, mae hon yn werth ei gweld, er ei bod braidd yn uchel i'w hastudio'n fanwl. Go brin y cewch fynd ag ysgol yno efo chi!

Eglwys Sant Deiniol, Penarlâg

Oherwydd ei gyfeillgarwch ag Ewart Gladstone, comisiynwyd Burne-Jones i gynllunio sawl ffenestr yn Eglwys Sant Deiniol, Penarlâg. Ceir saith ffenestr yma sydd wedi eu cynllunio gan Burne-Jones ac wedi eu creu gan gwmni William Morris & Co.

Bu dwy flynedd o waith ar y ffenestr orllewinol, 'Llanw Esgyniad' ('The Ascension Tide'). Fe'i gosodwyd yn yr eglwys wythnos union ar ôl marwolaeth Gladstone, a bu farw Burne-Jones bythefnos ar ôl ei gosod. Hon felly yw'r ffenestr olaf i Burne-Jones ei chynllunio a'i gosod drwy gomisiwn yn ystod ei oes. Wrth reswm, roedd ei gynlluniau yn parhau i gael eu hailddefnyddio dro ar ôl tro mewn gwahanol eglwysi ar ôl ei farwolaeth.

Dyma restr o ffenestri'r eglwys:

1. Ffenestr orllewinol, 'Addoliad y Bugeiliaid a'r Magi', 1890
   Cwmni: Morris & Co.
   Cynllunydd: Edward Coley Burne-Jones

Y ffenestr ddwyreiniol

Llun agos o ffenestr yr angylion

2. Ffenestr orllewinol y wal ogleddol, 'Fides a Caritas', 1911
   Cwmni: Morris & Co.
   Cynllunydd: Edward Coley Burne-Jones

3. Ffenestr ogleddol y gangell, 'Cerddorion Angylaidd/Angylion
   Cerddorol', 1908
   Cwmni: Morris & Co.
   Cynllunydd: Edward Coley Burne-Jones

4. Ffenestr ddwyreiniol y gangell, 'Y Croeshoelio gyda Mair a
   Sant Ioan', 1907
   Cwmni: Morris & Co.
   Cynllunydd: Edward Coley Burne-Jones

5. Wal ddeheuol yr ystlys ddeheuol, 'Cerddorion
   Angylaidd/Angylion Cerddorol', 1911
   Cwmni: Morris & Co.
   Cynllunydd: Edward Coley Burne-Jones

6. Wal ddeheuol yr ystlys ddeheuol, 'Sant Martin a Sant Siôr',
   1913
   Cwmni: Morris & Co.
   Cynllunydd: Edward Coley Burne-Jones

7. Wal ogleddol y cysegr, 'Cerddorion Angylaidd/Angylion
   Cerddorol', 1911
   Cwmni: Morris & Co.
   Cynllunydd: Edward Coley Burne-Jones

Os ydych yn ymweld â'r eglwys hon, mae'n werth mynd i edrych ar gofeb farmor Gladstone yn y Capel Coffa, er mai yn Abaty Westminster mae Mr a Mrs Gladstone wedi eu claddu mewn gwirionedd. Dehongliad o gwch bywyd yw'r gofeb, a'r cwch yn teithio cwrs bywyd, a gorwedd dwylo Gladstone ar groes sy'n arwydd o'i ffydd Gristnogol.

Y drws nesaf i'r eglwys mae Llyfrgell Gladstone, llyfrgell breswyl a sefydlwyd gan y cyn-Brif Weinidog, sy'n werth ei gweld;

a gellir trefnu teithiau tywys o'i hamgylch drwy gysylltu ymlaen llaw. Rhaid canmol y caffi yn y llyfrgell hon i unrhyw un sydd ag awydd hoe fach!

Eglwys Sant Mihangel, Ffordun

Byddai modd cyfuno ymweliad ag Eglwys Sant Mihangel, Ffordun, â sawl lleoliad arall. Rhed Clawdd Offa (Pennod 6) heibio pen y ffordd, sef y B4388 rhwng y Trallwng a Threfaldwyn. Mae'r eglwys ar y ffordd i Gaer Hywel a Garthmyl, a ger Caer Hywel mae safle caer Rufeinig, *Forden Gaer*, er nad oes fawr ddim i'w weld yno bellach, a'r safle mewn cae preifat.

Byddwch yn teithio heibio'r gaer Rufeinig (ar y dde wrth droad yr afon) wrth deithio o'r eglwys am Ryd Chwimau, safle Cytundeb Trefaldwyn 1267 (gweler Pennod 8) i gyfeiriad Garthmyl, ac mae cestyll Dolforwyn a Threfaldwyn yn agos iawn i Ffordun.

Enw Saesneg cynnar yw 'Forden' go iawn, a chyfeirir at Furtune yn Llyfr Domesday yn 1086 – a dehonglir hyn fel cyfuniad o *ford* am ffordd (yn hytrach na rhyd, gan fod y rhyd ei hun ger Rhyd Chwimau ryw ddwy filltir o'r eglwys) a *tun* am dref.

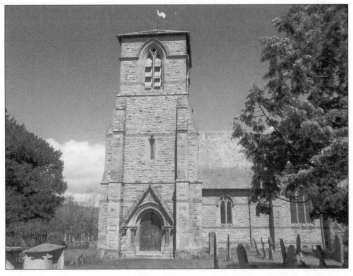

Eglwys Sant Mihangel, Ffordun

Gan fod y gaer Rufeinig (*Forden Gaer*) gerllaw credir bod yr enw felly'n disgrifio'r pentref ger y ffordd Rufeinig. Gelwid y lle yn Forton erbyn 1292 ac yn Forden am y tro cyntaf mewn print yn 1570. Ffurf Gymraeg ar enw Seisnig felly yw Ffordun.

Y ffenestr ddwyreiniol
Cwmni: Morris, Marshall, Faulkner & Co.

Dim ond dwy ffenestr o wneuthuriad Morris & Co. sydd i'w cael ym Maldwyn, y naill yma yn Ffordun a'r llall yn eglwys Llanllwchaearn. Y William Morris arall, sef Wm Morris (Westminster) Ltd, sy'n gyfrifol am y ffenestr yn eglwys Sant Niclas, Trefaldwyn, felly dydi'r ffenestr honno ddim yn berthnasol yng nghyd-destun y bennod hon.

Golygfeydd o'r Efengyl wedi eu cynllunio gan Burne-Jones yn 1873 a welwn yma (Crampin). Hon yw'r ffenestr fwyaf lliwgar o'r cyfnod yma gan Morris & Co. yng Nghymru a does dim modd gorganmol mor hyfryd ydyw. Casgliad o gynlluniau (a elwid yn gartwnau) yw hanfod y ffenestr ond eu bod, yn amlwg, wedi eu

Ffenestr ddwyreiniol Ffordun

gosod yn gywrain. Ffenestr goffa i'r gweinidog R. J. Harrison ydyw. Braf yw cael treulio ychydig o amser yn yr eglwys fach dawel hon i fwynhau'r ffenestr hyfryd.

Eglwys Sant Llwchaearn, Llanllwchaearn

Cwta filltir o'r Drenewydd mae'r eglwys hon o frics coch, a ailadeiladwyd yn 1815, ger afon Hafren a chamlas Trefaldwyn ym mhentref bychan Llanllwchaearn.

'Sant Steffan a Sant Pedr', Cwmni Morris, Marshall, Faulkner & Co., c.1870
Yr hyn sy'n hynod ac arbennig am y ffenestr hon ar wal ddeheuol yr eglwys yw bod y cynlluniau, neu'r cartwnau, yma gan William Morris, Edward Burne-Jones a Ford Madox Brown oll o fewn yr un ffenestr. William Morris ei hun oedd cynllunydd y cartŵn o Sant Pedr, a Ford Madox Brown oedd yn gyfrifol am y ddelwedd o Paul yn cael ei ryddhau o'r carchar gan angel. Dyma'r unig enghraifft o'r cynllun yma gan Madox Brown i oroesi ledled Prydain.

Defnyddiwyd y cartŵn o Sant Steffan gan Burne-Jones yng Nghadeirlan Bradford hefyd yn 1864, y flwyddyn flaenorol (Crampin). Burne-Jones sydd hefyd yn gyfrifol am y ffenestr waelod (*predela*) o dan Sant Steffan, sy'n dangos wyth gŵr yn taflu cerrig at Steffan nes iddo farw.

> A hwy a labyddiasant Steffan, ac efe yn galw ar Dduw, ac yn dywedyd, Arglwydd Iesu, derbyn fy ysbryd.
>
> Llyfr yr Actau, Pennod 7: 59

Cawn ddwy ffenestr o gynllun neu wneuthuriad Hiller yma yn Llanllwchaearn, ac mae'r tebygrwydd rhwng y ffenestr goffa hon i Eleanor A. Haydon (1927) ar ochr ogleddol yr eglwys a'r ffenestr a gynlluniwyd ganddo yng Nghaerwys yn amlwg iawn o safbwynt defnyddio liw, gyda'r glas a melyn llachar yn amlwg.

Ail ffenestr Hiller yn Llanllwchaearn yw'r un i goffáu H.G. Evan-Jones (1920). Gwelir hon i'r dwyrain o ffenestr Morris & Co. ar ochr ddeheuol corff yr eglwys.

Cartŵn Burne Jones

Cartŵn Madox Brown

Atodiad 1

Amgueddfeydd

Yn yr atodiad yma rwy'n awyddus i gyfeirio at rai o amgueddfeydd gogledd-ddwyrain a chanolbarth Cymru. Os ydych am fynd allan am dro i weld rhai o'r safleoedd archaeolegol, gellir cyfuno hynny ag ymweliad ac ambell amgueddfa. Bydd rhai, fel Amgueddfa Powysland yn y Trallwng, er enghraifft, yn berthnasol os yw rhywun wedi ymweld â chastell Llywelyn ap Gruffudd yn Nolforwyn ger Aber-miwl, tra bydd amgueddfeydd eraill fel un Andrew Logan yn Aberriw yn hollol, hollol wahanol. Y ddolen gyswllt yw eu bod yn llefydd diddorol ac yn rhan o'r dirwedd ddiwylliannol ehangach yma yng Nghymru – rwyf am wthio ychydig ar y ffiniau, yn y gobaith y bydd y broses o fynd am dro yn fwy pleserus ac yn ehangu ychydig ar ein gorwelion.

Byddaf yn cyfeirio yma hefyd at safleoedd archaeolegol o ddiddordeb yng nghyffiniau'r amgueddfeydd, yr hyn rwy'n eu galw'n *detours* bach diddorol, na fyddant yn golygu gormod o waith teithio.

Amgueddfa Powysland, Y Trallwng

Mae gen i atgof plentyn o ymweld ag Amgueddfa Powysland, a hynny yn yr hen adeilad ar Ffordd Amwythig (Salop Road) a godwyd yn bwrpasol fel amgueddfa yn 1874 (ychydig i'r dwyrain o Eglwys y Santes Fair). Arhosodd y wefr o weld y casys arddangos llychlyd yn gorlifo o lestri Rhufeinig a gwaywffyn yr Oes Efydd gyda mi byth ers hynny. Roedd yr amgueddfa hon yn ddrws i'r arallfyd hudolus hwnnw, y byd archaeolegol, y byd roeddwn mor awyddus i fod yn rhan ohono yn hogyn wyth oed.

Ers 1990 mae'r amgueddfa mewn lleoliad newydd ar hen gei'r gamlas, mewn adeilad hanesyddol a fu unwaith yn warws. Rwy'n deall pam y bu'n rhaid symud – roedd yr hen adeilad yn anaddas ar gyfer gofynion amgueddfaol a'r cyhoedd yn yr oes sydd ohoni

– ond rwyf bob amser yn gwenu wrth yrru heibio'r hen adeilad pan fyddaf yn mynd drwy'r Trallwng, lle oedd mor ofnadwy o bwysig i mi yn hogyn ifanc.

Sefydlwyd 'Clwb Powysland' yn 1867 gan rai o drigolion y Trallwng a ymddiddorai yn hanes ac archaeoleg yr ardal, a nhw oedd yn gyfrifol am adeiladu'r amgueddfa yn Oes Fictoria. Bellach mae'r amgueddfa dan ofal Cyngor Sir Powys ond mae'r un naws yno o hyd. Mewn un ystyr mae hon yn amgueddfa weddol draddodiadol heb ei llygru gan dechnoleg megis sgriniau cyffwrdd, a dyna sut dylai amgueddfeydd fod yn fy marn i – mynd yno i weld pethau ydan ni, nid i edrych ar gyfrifiaduron – gallwn wneud hynny gartref!

Ar y llawr cyntaf mae'r adran archaeoleg, a does ond un gair i'w disgrifio – bendigedig. Cawn ein boddi gan wrthrychau heb sôn am gael ein boddi gan bleser a phrofiadau, a dyma fan cychwyn gwych i unrhyw un sy'n ymddiddori yn y cyfnodau cyn-hanesyddol o safbwynt cael syniad o'r cyfnod cynnar yma yn hanes Sir Drefaldwyn. Gellir gweld popeth o gallestr (*microliths*) y cyfnod Mesolithig (8000–4000 cyn Crist) i offer callestr Neolithig (4000–2000 cyn Crist). Mae yma hefyd amrywiaeth eang o offer efydd a haearn o gyfnodau'r Oes Efydd (2000–700 cyn Crist) a'r Oes Haearn (700 cyn Crist – 43 oed Crist), ac mae digonedd o ddarnau arian Rhufeinig yma i gadw unrhyw un yn hapus!

Gwrthrych arall o ddiddordeb mawr sydd i'w weld yn Amgueddfa Powysland yw'r dagr a ddarganfuwyd yng nghastell Dolforwyn, sy'n dyddio o'r 14eg ganrif. Mae unrhyw wrthrychau a ddarganfyddir gan CPAT drwy waith cloddio archaeolegol yn cael eu cadw gan yr Amgueddfa ar ôl cwblhau unrhyw adroddiadau a gwaith ymchwil pellach arnynt.

Yn ddigon naturiol, gan fod safle abaty Sistersaidd Ystrad Marchell o fewn tafliad carreg i'r amgueddfa, mae'r amgueddfa'n gartref i wrthrychau sy'n gysylltiedig â'r safle hwnnw. Ychydig iawn o'r abaty sy'n weddill bellach ger Pool Quay ar yr A483 (Cyfeirnod Map OS: SJ 251 104), ond mae adroddiad Jones a Silvester (2012) yn ffynhonnell werthfawr o safbwynt y manylion archaeolegol diweddaraf am yr abaty, a sefydlwyd gan y Mynaich

Gwynion yn 1170 dan wahoddiad Owain Cyfeiliog, tywysog deheudir Powys.

Yng nghyd-destun y llyfr hwn, a hanes Cymru, mae mymryn o eironi fod yr abaty wedi cael ei ddinistrio i ryw raddau yn ystod Gwrthryfel Glyndŵr cyn cael ei chwalu'n llwyr, fwy neu lai, yn sgil Diddymiad y Mynachlogydd yn 1536. Y tebygolrwydd wedyn yw bod rhan helaeth o'r cerrig wedi eu hailgylchu ar gyfer eglwysi ac adeiladau cyfagos. Er i Glwb Powysland gloddio yma yn 1890, tybiaf fod digonedd o olion archaeolegol yn parhau yno, ynghudd o dan y pridd.

Pethau i'w gweld yn y Trallwng:
Domen Castell – castell mwnt a beili canoloesol
Cyfeirnod Map OS: SJ 230074
Mae'n debyg bod y domen yn un o gestyll tywysogion Powys, wedi ei adeiladu rywbryd cyn 1196 efallai gan Gwenwynwyn ab Owain (gweler Pennod 7). Heddiw mae lawnt bowlio Crown ar safle'r beili ac mae'r ffordd newydd ar gyfer lleihau trafnidiaeth drwy ganol y dref yn rhedeg y tu cefn i'r mwnt.

Castell Powys
Cyfeirnod Map OS: SO 216 064
Heddiw mae Castell Powys dan ofal yr Ymddiriedolaeth Genedlaethol ond, yn ddiddorol, mae'r castell wedi cael ei ddefnyddio'n barhaol am bron i 700 mlynedd. Dros y blynyddoedd bu newidiadau ac ychwanegiadau iddo, ac o ganlyniad mae dehongli'r gwahanol nodweddion a'r cyfnodau yn waith anodd. Cawn drafferth hefyd, o astudio dogfennau hanesyddol, i wahaniaethu ar adegau rhwng Castell Powys, Domen Castell a thomen arall sydd ger Castell Powys, y Lady's Mound/ Ladies Mount (SJ 212 063). Mae'n debygol bod y tri chastell yn cael eu defnyddio yn y cyfnodau cyn 1277, a rhai o'r tri, o leiaf, ar yr un pryd.

Gall castell Lady's Mound fod yn perthyn i'r Normaniaid/Saeson, tywysogion Powys neu hyd yn oed Llywelyn Fawr yn ystod ei ymgyrchoedd, ar wahanol gyfnodau. Petai hwn yn perthyn i dywysogion Powys, hwyrach mai dyma'r ymdrech gyntaf i adeiladu Castell Powys, neu i warchod y gwaith adeiladu ar Gastell Powys ei hun.

Mae gwreiddiau Castell Powys yn mynd yn ôl i gyfnod tywysogion Powys, a bu cyfnodau cythryblus wrth i dywysogion Gwynedd a Phowys ryfela yn ystod y 13eg ganrif. Tueddai tywysogion Powys i ochri hefo'r Normaniaid/Saeson. Bu i Lywelyn Fawr ymosod ar Bowys yn 1218 a bu Llywelyn ap Gruffudd yma yn 1274, gan losgi safle presennol Castell Powys fwy na thebyg.

Un o deulu tywysogion Powys, Owain ap Gruffudd ap Gwenwynwyn (Baron de la Pole), ddaeth yn gyfrifol am y castell yn 1286, eto oherwydd eu teyrngarwch i Edward I ers 1277. Priododd ei ferch, Hawys, i deulu Chesterton, ac erbyn 1578 roedd y castell ym meddiant y Herbertiaid, sydd yma hyd heddiw.

Amgueddfa Robert Owen, Y Drenewydd

> If we cannot reconcile all opinions, let us endeavour to unite all hearts.
>
> Robert Owen.

Wedi ei leoli mewn adeilad o'r arddull Celfyddyd a Chrefft a adeiladwyd yn 1902 yng nghanol y Drenewydd, gyferbyn â'i fan geni (adeilad HSBC heddiw, lle mae cofeb iddo ar y wal), dyma amgueddfa sy'n dathlu un o feibion enwocaf y dref. Roedd Robert Owen (1771–1858) yn sosialydd, yn ddyn busnes ac yn danbaid dros ddiwygio amodau gwaith yn ei felinau. Disgrifir ef gan Chris Williams a Noel Thompson yn eu cyfrol *The Legacy of Robert Owen* fel hyn:

> a creative genius of global significance, a radical writer and activist of international reputation ... who has inspired those seeking to change human society for the better.

Amgueddfa fechan yw hon sy'n rhannu gofod gyda Chyngor Tref

Amgueddfa Robert Owen, Y Drenewydd

y Drenewydd, ac o ganlyniad mae'r amgueddfa ar agor bob dydd rhwng 11 y bore a 3 y pnawn. Bydd aelod o staff Cyngor y Dref yno i'ch croesawu a'ch cyfeirio at yr arddangosfa.

Rhennir yr arddangosfa yn gyfnodau a themâu gwahanol, gan ddechrau gyda bywyd cynnar Robert Owen yn y Drenewydd. Mae yma ambell wrthrych o'r tŷ lle'i ganwyd, yn eu plith y cnociwr oddi ar ddrws y cartref. Yn hogyn 10 oed aeth Robert i weithio'n brentis i frethynnwr yn Stamford, Swydd Lincoln cyn symud i Fanceinion, ac yma yng nghanol cynnwrf y Chwyldro Diwydiannol dechreuodd ffurfio'i syniadau ynglŷn ag economeg a chymdeithas.

Yn naturiol felly rhoddir lle sylweddol i'w gyfnod ym Manceinion. Gŵr ifanc yn ei ugeiniau ydoedd pan brynodd Felin New Lanark yn yr Alban oddi wrth David Dale, ei ddarpar dad yng nghyfraith, a dyma ddechrau ar gyfnod o ddatblygu tirwedd a gwella amodau gwaith yn New Lanark. Rhoddodd bwyslais ar iechyd, addysg i'r ifanc a fframwaith lle'r oedd y gweithwyr a'r cyflogwyr yn gweithio mewn cytgord.

Llai llwyddiannus oedd ymdrechion Owen yn yr Unol Daleithiau, a disgrifir y gwrthdaro a fu rhwng Owen a'i bartner, William Allen (a oedd yn Grynwr), yn adran nesaf yr amgueddfa. Er ei fethiant masnachol, yma yn yr amgueddfa mae lluniau rhai o feddyliau mwyaf craff y cyfnod, ac mae Robert Owen ochr yn ochr â George Washington, Voltaire, Benjamin Franklin a Tom

Paine – prawf ei fod yn uchel ei barch ymhlith athronwyr.

Rhoddir sylw teilwng i waddol syniadaeth Robert Owen – syniadau amlwg fel y Co-op, ei bapur newydd *Crisis* (1832) a'r Cyfnewidfeydd Llafur a sefydlodd yn y 1830au. Bu farw yn y Drenewydd yn 1858 a chladdwyd ef ger hen eglwys y Santes Fair ar lan afon Hafren. Yn ei henaint trodd Owen at faterion ysbrydol, a chredai yn ddiffuant ei fod yn gallu 'siarad' â rhai o'i gyfeillion, fel Percy Shelley a Thomas Jefferson oedd wedi hen fynd i'w beddau.

Pethau i'w gweld yn y Drenewydd:

Mae'r tŷ lle ganed Robert Owen gyferbyn â'r Amgueddfa, adeilad HSBC heddiw, a gwelwn gofeb yn nodi'r ffaith ar wal yr adeilad.

Mae bedd Robert Owen yn hen eglwys y Santes Fair ac mae modd ei gyrraedd drwy'r fynedfa o Broad Street.

Eglwys y Santes Fair
Cyfeirnod Map OS: SO 109918

Dyddia darnau o'r eglwys o'r 13eg ganrif, sef y cyfnod pan sefydlwyd y Drenewydd yn dilyn penderfyniad Roger Mortimer yn 1279 fod hwn yn lleoliad mwy addas ar gyfer ei dref na Dolforwyn. Er i Mortimer wneud rhyw gymaint o gynnal a chadw yn Nolforwyn ar ôl i fyddin Edward I gipio'r castell yn 1277, roedd y castell yn adfail o fewn canrif a'r Drenewydd wedi ei hen sefydlu fel prif dref yr ardal.

Cyn gadael y Drenewydd, mae'n werth cerdded draw at

Cerflun Robert Owen

gerflun a gardd Robert Owen (1956) ger Shortbridge Street a Gas Street.

Milltir a hanner sydd o'r Drenwydd i Eglwys Sant Llwchaearn, Llanllwchaearn os ydych am weld y ffenestri Morris & Co. yn yr eglwys yno. Sylwch fod yn rhaid trefnu i ymweld â'r eglwys gan ei bod fel arfer dan glo.

Amgueddfa Cerflunwaith Andrew Logan, Aberriw (Andrew Logan Museum of Sculpture)

Mae miloedd ar filoedd o bobl yn Llundain – pobl ym mhob man; mae mwy o goed yma yng Nghymru!

Andrew Logan.

Ar yr olwg gyntaf mae'r amgueddfa yma yn y lle anghywir. Dyma ni yng nghanol pentref gwledig a hynafol Aberriw, gyda'i fythynnod du a gwyn o fframiau pren; pentref y byddai modd ei alw, yn Saesneg, yn *picturesque*. Rhed afon Rhiw heibio'r amgueddfa a saif Eglwys Sant Beuno dafliad carreg o'r amgueddfa.

Yn yr eglwys hon, gyda llaw, mae corffddelwau Arthur Price Vaynor a fu farw yn 1597, a'i ddwy wraig, Bridget Bourchier a Jane Brereton (dylid nodi nad oedd yn briod â'r ddwy ar yr un pryd!). Ailgodwyd yr eglwys bresennol yn 1875 gan y pensaer Edward Haycock o Amwythig, ac mae'n werth taro i mewn iddi os ydych yma yn Aberriw.

Mae'r gwrthgyferbyniad yn un sy'n apelio at Andrew Logan, y cerflunydd/artist unigryw a agorodd ei amgueddfa yma yn ôl yn 1991. Cysylltiad â ffrindiau i'r actores Julie Christie, a oedd yn byw ger Trefaldwyn, ddaeth â Logan ar grwydr i Faldwyn yn wreiddiol, ond syrthiodd mewn cariad â'r ardal ac yn 2016 dathlodd yr Amgueddfa a sefydlodd yma ei phen-blwydd yn 25 oed.

Hen adeilad cwrt sboncen Aberriw yw'r adeilad, ac o'r tu allan mae'r elfen bensaernïol honno yn parhau'n amlwg – ond y tu mewn mae gwledd o liwiau a gwledd o gerfiadau Andrew Logan yn ein disgwyl.

Andrew Logan

Cymeriad hynod iawn yw Andrew Logan. Daeth i fy sylw yn
y lle cyntaf fel trefnydd yr *Alternative Miss World* a phartïon a
digwyddiadau yn Llundain. Roedd yn gyfrifol am roi llwyfan
cynnar iawn i'r Sex Pistols yn ei stiwdio yn Butlers Wharf, eu
degfed gig i fod yn fanwl gywir, ar 14 Chwefror 1976, yn dilyn
galwad ffôn gan Malcolm McLaren. Mae'n anodd credu heddiw
mor boblogaidd oedd *Miss World* yn y 1970au, ond fel yr esbonia
Logan, roedd ei basiant ef wedi ei seilio lawn cymaint ar sioe gŵn
Crufts ag yr oedd ar basiant *Miss World* Eric a Julia Morley.

Wrth sgwrsio ag Andrew dechreuais ddeall mor fach oedd y
byd celfyddydol yn Llundain yn y 1970au, felly roedd hi'n ddigon
naturiol iddo fod yn gyfarwydd â chymeriadau fel Malcolm
McLaren (rheolwr y Sex Pistols) a'i gariad, y cynllunydd dillad
Vivienne Westwood. Pwysleisiodd Andrew mor awyddus oedd o
i roi cyfle i'r grŵp ifanc ar ddechrau eu gyrfa – ac mae'n gefnogol
i'r celfyddydau ac i bobol ifanc hyd heddiw yng Nghymru. Mae'r
amgueddfa wedi cynnal gweithdai lu i ysgolion dros y
blynyddoedd, ac erbyn hyn mae plant rhai o'r disgyblion ysgol fu

yno yn y 1990au bellach wedi mynychu gweithdai hefo Andrew. Ei obaith yw eu hysbrydoli drwy greu a chelfyddyd mewn amryw ffyrdd.

Fel cerflunydd ac artist gweledol, awgryma Logan fod ei amgueddfa yn ffordd iddo rannu ei gariad at ei gelf gyda'r byd. Er bod Aberriw yn anghysbell ar un ystyr, mae cerfiadau Logan a'i enw da yn sicrhau bod ymwelwyr o bob rhan o'r byd yn cyrraedd pentref hynod Aberriw. Ar un adeg gobeithiai Andrew y byddai amgueddfa o'r fath yn Aberriw yn ysbrydoli artistiaid eraill i ddilyn ei esiampl, gan greu rhwydwaith cenedlaethol o amgueddfeydd amgen a chreadigol. Mae amgueddfa yn fwy parhaol na'r arddangosfeydd arferol y mae artist fel Logan yn cael y cyfle i ddangos ei waith ynddynt.

Rhennir yr Amgueddfa yn weddol hawdd yn dri chysyniad amlwg, sef y pethau sy'n ymwneud â'r *Alternative Miss World* – y gwisgoedd llachar a'r gemwaith unigryw – cerfiadau o'r 1970au wedi eu hysbrydoli gan yr Aifft, *Egypt Revisited*; a gwaith Andrew ar y Duwiesau o India, *Goddesses*. Detholiad yn unig o wrthrychau'r *Alternative Miss World* sy'n cael eu harddangos gan fod gormod o wrthrychau ar gyfer lle mor fach. Ymddiriedolaeth yr Amgueddfa sy'n berchen ar yr holl wrthrychau, a dyma rodd Andrew Logan i'r byd.

Cofiwch ymweld â Maen Beuno (SH 203013) – maen hir o'r Oes Efydd sydd wedi ei gysylltu â Sant Beuno yn ystod y canol oesoedd cynnar.

Atodiad 2

Archwilio Enw Tre'r Ceiri

Wrth ysgrifennu *Cam i'r Gorffennol* (2014) fy mwriad oedd archwilio enwau lleoliadau wrth gyflwyno safleoedd, ac efallai hyd yn oed sôn am hen enwau oedd bellach wedi diflannu, fel yn achos Pen Caer Helen, yr hen enw ar Ben y Gaer, Llanbedrycennin, Dyffryn Conwy. Ond mae'n rhaid i mi gyfaddef nad oeddwn i wedi disgwyl i hwn fod yn faes mor gymhleth! Oherwydd y cymhlethdod ynglŷn â dehongli ystyr a tharddiad enw Tre'r Ceiri, y fryngaer ger Llanaelhaearn, Llŷn, dwi'n teimlo bod yn rhaid mynd yn ôl i ymdrin â'r enw yma o ddifrif.

Awgrymais ar dudalen 95 *Cam i'r Gorffennol* fod 'ceiri' yn llygredd o'r gair 'cewri', heb sylweddoli fod 'ceiri' yn ffurf ar y lluosog 'cawr' yn ôl Geiriadur Prifysgol Cymru. Roedd fy awgrym yn seiliedig ar y ffaith fod cynifer yn cyfeirio at Dre'r Ceiri fel *Town of the Giants*, a rhaid cyfaddef na roddais ddigon o sylw i darddiad yr enw.

Credaf mai Thomas Pennant sy'n cyfeirio gyntaf at 'Tre'r Caeri' wrth iddo ddisgrifio'r hyn a welir fel a ganlyn:

> On the Eifl is the most perfect and magnificent, as well as the most artful, of any British post I ever beheld. It is called Tre'r Caeri, or, Town of the Fortresses.

Mae digon o bobl leol hyd heddiw yn cytuno â'i ddehongliad.

Ond yn y cyhoeddiad o *Pennant's Tours in Wales* dan olygyddiaeth John Rhys MA yn 1883, mae Rhys yn ychwanegu nodyn:

> This explanation is the usual one, but it will not stand examination, for the place is called not Tre'r Caeri but Tre'r Ceiri, or Tre Ceiri which is pronounced differently, and means in Carnarvonshire dialect the Town of the Giants – ceiri being plural of cawr, giant in that county.

Rai blynyddoedd cyn y cyhoeddiad yma, mae'n ymddangos i'r un J. Rhys yrru llythyr at *Archaeologia Cambrensis*, a hynny yn 1877:

> I will venture to give it as my opinion that Trecaeri should be written as it is pronounced, namely as Treceiri ... I have ascertained that in Carnarvonshire *ceiri* is plural of *cawr* (giant) so that Treceiri has nothing to do with *caerau* (forts), even supposing there had been an optional plural *caeri*, not to mention that Trecaeri would have been pronounced differently from Treceiri, which accordingly means fort of the giants. This certainly implies that the Welsh regarded Treceiri as the work of a people other than the Kymry.

Yn 1895, ymwelodd Cymdeithas y Cambrians â'r safle, ac yn eu hadroddiad yng nghyfrol *Archaeologia Cambrensis* (tud 146) 'Town of the Giants' a ddefnyddir.

Yn ôl y Parch J. Daniel yn y llyfr casgliadwy hwnnw, *Archaeologia Lleynensis* (1892) mae'n ymddangos bod y cwestiwn o gewri neu gaerau yn hen ddadl. Dyma a ddywed: 'Rhai a ddywedant mai "Caeri" = caerau ddylid ysgrifennu; ond barn dysgedyddion yw mai "Ceiri" sef "Cewri" a olygir.'

Cynigia Daniel bob math o ddadansoddiadau, hanesion a thrafodaethau am enwau, ac mae hon yn gyfrol hynod ddiddorol a gwerthfawr o safbwynt tirwedd archaeolegol Llŷn, ond rhaid wrth gryn ofal wrth ystyried faint o'r hyn mae Daniel yn ei ddweud sy'n ffeithiol gywir. Cyfeiria, er enghraifft, at Garn Boduan fel 'amddiffynfa Frythonig' a Charn Madryn (Carn Fadryn) fel 'amddiffynfa Gymreig', sy'n cydnabod bod y rhain yn safleoedd brodorol – ond yr hyn a olygir ganddo yw safleoedd brodorol yn ystod yr Oes Haearn neu'r cyfnod Rhufeinig heb wahaniaethu rhwng Brythonig a Chymreig.

Wrth drafod Tre'r Ceiri ymhellach mae Daniel yn crybwyll, er nad ydyw'n cadarnhau, i fod yn deg ag ef, fod *ceiri* rywsut yn llygredd o *curiae* neu *curia*, sef gair Rhufeinig am senedd neu safle o awdurdod. Er bod angen gofal mawr wrth dderbyn rhai o'i awgrymiadau, mae Daniel yn agos ati yma, heb fod yn ymwybodol o hynny, gan fod safle Tre'r Ceiri wedi'i ddefnyddio gan y llwythau brodorol yn ystod y cyfnod Rhufeinig, ac yn sicr o fod yn ganolfan bwysig i'r trigolion lleol.

'Town of the Giants' sy'n cael ei ddefnyddio yn RCAHM 1960, *An Inventory of the Ancient Monuments in Caernarvonshire Volume II Central* – yn wir, hyd yn oed heddiw ar wefan y Comisiwn Brenhinol, *Coflein*, 'City of the Giants' yw'r pennawd ar gyfer Tre'r Ceiri. Mae Frances Lynch yn *A Guide to Ancient and Historic Wales, Gwynedd* (Cadw, 1995) hefyd yn cyfeirio at 'Town of the Giants'.

Dysgais wers felly i beidio â chymryd popeth sydd wedi ei gyhoeddi yn ganiataol, hyd yn oed gwaith Lynch ac arbenigwyr eraill, a bod yn rhaid treulio llawer mwy o amser yn pwyso a mesur ac yn gwneud gwaith ymchwil. Mae mwy i ddehongli'r dirwedd archaeolegol na'r olion materol yn unig – mae'r enwau a'r traddodiad llafar yn rhan o'r darlun cyfan hefyd.

Wrth bori drwy hen lythyrau, adroddiadau ac erthyglau yn *Archaeologia Cambrensis* sylwais ar yr amrywiaeth yn yr enw a ddefnyddid: 'Tref y Ceiri' a ddefnyddir mewn adroddiad o'r enw 'Early remains in the Great Isle of Aran' gan C.H. Hartshorne yn 1853.

Mewn llythyr at *Archaeologia Cambrensis* yn 1865 dan y penawd 'A Day's Ramble About The Rivals' dyma a ddywedir: *'This is no other than Trerceiri, the town of the forts, caer, caerau, ceiri, Anglicé Kerry.'*

Yn ôl E. L. Barnwell yn *Archaeologia Cambrensis* 1871, caerau yw'r ystyr: *'Tre'r Ceiri, usually understood to mean "the town of the fortresses", although sometimes known by other designations.'* Â Barnwell yn ei flaen i awgrymu nad oes unrhyw draddodiad lleol na llafar fod Tre'r Ceiri yn perthyn i'r Gwyddelod, er ein bod yn gwybod mai 'cytiau'r Gwyddelod' yw'r enw a ddefnyddir gan drigolion gogledd Cymru i ddisgrifio cytiau crynion fel y rhai sydd i'w gweld yn Nhre'r Ceiri.

Cyhoeddwyd adroddiad Christison ar Dre'r Ceiri yn 1897: *'Treceiri, better known, though perhaps less accurately, as Tre'r Ceiri,'* ac awgrymaf mai ef oedd wedi darlunio'r cynllun gorau o

Dre'r Ceiri erbyn y cyfnod hwnnw. Mae'n feirniadol iawn o fanylder a chywirdeb adroddiadau Pennant, gan nodi; *'Pennant's account, which seems in a great measure unreliable.'* Ond yr hyn sy'n wironeddol ddiddorol am adroddiad Christison yw ei fod yn ymhelaethu ar y drafodaeth ynglŷn ag ystyr yr enw – prawf pellach fod y ddadl wedi bod yn un frwd yn ystod y 19eg ganrif ymhlith hynafiaethwyr. Meddai am safbwyntiau Barnwell a'r Athro J Rhys:

> Mr Barnwell says that Tre'r Ceiri, the usual literary form, means Town of the Fortresses, but Prof Rhys (Arch Camb 1897 p339) has ascertained that the native pronounciation is Treceiri, and that in Carnarvonshire 'ceari' (sic) is the plural of 'cawr' (a giant) and it is not an interchangeable form of caerau, the plural of caer, a fort. The meaning, therefore, he maintains, is town of the giants.

Dyfynna Christison ddamcaniaeth yr Athro J. Rhys yn ei erthygl:

> a name which implies that all the traditions of its builders has so entirely died out as to cause the Welsh people to attribute its origins to a race of beings different from themselves, and endowed with supernatural strength.

Cawn yr un math o ddryswch wrth gysylltu safleoedd â'r Rhufeiniaid, er enghraifft, wrth i bobl sôn am 'yr hen ffordd Rufeinig' neu 'pont Rufeinig', a'r rheiny mewn gwirionedd yn perthyn i gyfnod y porthmyn. Felly hefyd y cysylltiad Gwyddelig yng nghyd-destun 'cytiau'r Gwyddelod' neu 'furiau'r Gwyddelod' wrth gyfeirio at safleoedd brodorol yn hytrach na rhai ag unrhyw gysylltiad go iawn â Gwyddelod.

Yn ddiweddarach ychwanegodd Melville Richards ei farn yn Enwau Tir a Gwlad (1998);

> Dylid dweud gair am Dre'r Ceiri wrth fynd heibio. Mae Tre'r Ceiri ar gyrion eithaf Arfon ym mhlwyf Llanaelhaearn. Nid lluosog y gair caer sydd yma, ond hen ffurf ar luosog cawr, a glywir o hyd yn Arfon.

Mae Richards hefyd yn cyfeirio at 'Gaer Wrtheyrn' a dyma'r unig dro i mi glywed enw Gwrtheyrn yn cael ei gysylltu â Thre'r Ceiri yn hytrach na'r Nant.

Casgliad

Mewn sgwrs â'r archaeolegydd David Hopewell, sydd wedi gweithio'n helaeth ar Dre'r Ceiri, rhoddodd y bai ar y Fictoriaid am 'ramantu' ynghylch y safle a chamddehongli'r enw yn 'cewri'. Ond mae Geiriadur y Brifysgol yn sicr yn rhoi opsiynau ar gyfer y lluosog o 'cawr' fel 'cewri, cowri, ceuri, ceiri' – felly pa ddehongliad yw'r un cywir?

Cytunaf i raddau â Hopewell – hawdd yw deall sut y bu rhamantu ynglŷn â safle fel hyn gan ei briodoli i waith adeiladu gan gewri cyn i bobl ddod i ddeall y cyfnodau archaeolegol yn iawn. Ond tybed a oedd pwy bynnag a roddodd yr enw ar Dre'r Ceiri yn y lle cyntaf o'r un farn ag awduron Geiriadur y Brifysgol, gan ddefnyddio 'ceiri' yn ffurf luosog 'cawr'?

Yn ôl Geiriadur yr Academi, lluosog 'caer' yw 'caerau' neu 'ceyrydd'. Mae Geiriadur Prifysgol Cymru hefyd yn cynnig y lluosog 'caeroedd'. Ond does yr un geiriadur yn nodi 'ceiri' neu 'caeri' ar gyfer fersiwn lluosog o 'caer'. Rhaid gofyn felly o ble cafodd Pennant ei wybodaeth mai *Tre'r Caeri* oedd yr enw ar Dre'r Ceiri yn ail hanner y 18fed ganrif.

Os Tref y Caerau yw Tre'r Ceiri i fod, tybed a yw hyn yn deillio o'r ffaith fod sawl cylchfur yma? Does bosib fod Pennant yn ymwybodol o'r hyn rydym yn ei wybod heddiw, sef bod dau gyfnod gwahanol o ddefnydd i'r fryngaer, yn ystod yr Oes Haearn ac yn y cyfnod Rhufeinig. Pam oedd o'n defnyddio'r lluosog o 'caer' wrth ddisgrifio'r fryngaer benodol yma felly?

Rhywbeth arall diddorol ddaeth i'm sylw drwy Myrddin ap Dafydd oedd stori fod rhai o lwyth y Brigantes o ardal gogledd Lloegr wedi symud yma ar ôl cael eu trechu gan y Rhufeiniaid a'u bod yn bobl dal, pryd golau. Tybed ai llysenw arnyn nhw yn Llŷn oedd 'ceiri'? Mae'n debyg na chawn fyth yr ateb.

Llyfryddiaeth

Archwilio (gwefan Ymddiriedolaethau Archaeolegol Cymru)
A Short History of Forden and its Parish Church, 1967
(Revised 2004)
Bailey Williams, A. J.; *The Enchanted Wood and Other Stories*, 1947
Barber, C; Williams, J. C.; *The Ancient Stones of Wales*, 1989
Barker, P.; *The Techniques of Archaeological Excavation*, 1977
Barnwell, E. L.; 'Alignments in Wales' *Archaeologia Cambrensis* 1868, tt169–179
Barnwell, E. L.; 'Tre'r Ceiri' *Archaeologia Cambrensis* 1871, tt66-88
Berriew Parish Church (taflen Eglwys Sant Beuno, Aberriw)
Beverley Smith, J.; *Llywelyn ap Gruffudd: Prince of Wales*, 2001
Borrow, G.; *Wild Wales*, 1862
Britnell, W. J., Martin, C. H. R., Hankinson, R.; 'Holywell Common and Halkyn Mountain, Historic Landscape Characterization', CPAT Report No. 357, 2000
Britnell, W. J., Silvester, R. J.; *Reflections on the Past, Essays in honour of Frances Lynch*, 2102
Brodie, H.; 'Apsidal and D-shaped towers of the Princes of Gwynedd', *Archaeologia Cambrensis* 164, tt231–243, 2015
Burl, A.; *The Stone Circles of the British Isles*, 1976
Burnham, B. C., Davies, J. L.; *Roman Frontiers in Wales and the Marches*, 2010
Burnham, H., *A Guide to Ancient and Historic Wales, Clwyd and Powys*, Cadw, 1995
Butler, L., 'Dolforwyn Castle, Powys', *Archaeology in Wales* 32, tt83–4, 1992
Cadw, (*Gofalu am*) *Bryngaerau a Ffermdai*, llyfryn Cadw, 2008
Cathcart King, D. J.; 'Two Castles in Northern Powys: Dinas Brân and Caergwrle', *Archaeologia Cambrensis* Vol. CXXIII, 1974
Christison, D.; 'Prehistoric Fortresses of Treceiri and Elidon', *Archaeologia Cambrensis* tt17-40, 1897
Clews, R.; *To Dream of Freedom*, 1980

Coflein (gwefan y Comisiwn Brenhinol)

Cope, J.; *The Modern Antiquarian*, 1988

Cragoe, C. D.; *How To Read Buildings, A crash course in architecture*, 2008

Crampin, M.; *Stained Glass from Welsh Churches*, 2014

Cunliffe, B.; *Iron Age Communities in Britain* (Revised Edition), 1978

Cunliffe, B.; *Britain Begins*, 2013

Daniel, J.; *Archaeologia Lleynensis*, 1892

Davies, J.; *A History of Wales*, 1990

Davies, J. H.; *A Wandering Scholar, The Life and Opinions of Robert Roberts*, 1923

Dolan, B.; 'Bedrocks and Bullauns: more than one use for a mortar?', *Archaeology Ireland*, 2009

Drake, J.; *The World of William Morris*, Pitkin Guides, 1996

Edwards, N.; 'Roman continuity and reinvention: the early medieval inscribed stones of north Wales', *Reflections on the Past, Essays in honour of Frances Lynch*, 2012

Elis-Gruffydd, D.; *100 o Olygfeydd Hynod Cymru*, 2014

Ellis Jones, J., Stockwell, A.; 'Tomen Castell, Dolwyddelan, Gwynedd, North Wales: Excavations at an Early Castle Site', *Archaeology in Wales* Vol. 54, 2015

Ellis, T. I.; *Crwydro Maldwyn*, Cyfres Crwydro Cymru, Cyfrol V, 1957

English Heritage; 'History of Old Oswestry Hill Fort' (gwefan)

Fitzpatrick-Matthews, K. J., 'Wat's Dyke: a North Welsh linear boundary', http://www.wansdyke21.org.uk/, 2001

Fox, C.; 'Offa's Dyke: A Field Survey. First Report: Offa's Dyke in Northern Flintshire', *Archaeologia Cambrensis* Vol. LXXXI, 1926

Fox, C.; 'Offa's Dyke: A Field Survey. Second Report: Offa's Dyke from Coed Talwrn (Treuddyn Parish) Flintshire to Plas Power Park (Bersham Parish) Denbighshire', *Archaeologia Cambrensis* Vol. LXXXII, 1927

Fychan, C.; 'Herwyr y Gororau', *Barn*, Gorffennaf/Awst 2015

Garter, J., Adcock, J.; *Sycharth Motte and Bailey, Powys, GSB Geophysical Survey Report 2009/12* (adroddiad ar gyfer Cadw, heb ei gyhoeddi)

Gibson, A,M.; 'Domen Castell Motte & Bailey Castle, Welshpool: Archaeological Watching Brief', CPAT Report No. 177, 1996

Gibson, A. M.; 'Prehistoric & Funerary Ritual Sites: Upper Severn Valley', CPAT Report No. 277, 1998

Grant, I., Belford, P., Culshaw, V.; 'Tomen y Rhodwydd, De018 Denbighshire Survey and Conservation 2014 North East Wales Community Archaeology', *CPAT Report No. 1261*, 2014

Grant, I., Jones, N.; 'Wrexham Chirk, Offa's Dyke SJ 28075 40455' *Archaeology in Wales*, Vol. 53, 2014

Gresham, C. A.; *Medieval Stone Carvings in North Wales, Sepulchral Slabs and Effigies of the Thirteenth and Fourteenth Centuries*, 1968

Griffiths, D., 'Maen Achwyfan and the context of Viking settlement in north-east Wales', *Archaeologia Cambrensis* 155, 2006

Gruffydd, E.; *Llŷn*, 2003

Guilbert, G.; 'Moel y Gaer 1973: an excavation on the defences', *Antiquity* Vol. XLIX, 1975

ap Gwilym, G., Lewis, R. H.; *Maldwyn a'i Chyffiniau*, 1981

Hague, D. B., Warhurst, C., 'Excavations at Sycharth Castle, Denbighshire, 1962-63' *Archaeologia Cambrensis* Vol. CXV tt 108-127, 1966

Hartshorne, C. H.; 'Early Remains in the Great Isle of Aran', *Archaeologia Cambrensis* Vol. IV, 1853

Hopewell, D.; 'Cadwraeth a gwaith cloddio yng Nghastell Carndochan, Llanuwchllyn', www.heneb.co.uk, 2014

Hopewell, D.; *Roman Roads in North-West Wales*, Ymddiriedolaeth Archaeolegol Gwynedd, 2013

Hughes, H., North, H. L.; *The Old Churches of Snowdonia*, 1924

James, S.; *Siân James*, Cyfres y Cewri 34, 2011

Jenkins, G. H.; 'A rank Republican [and] a leveller : William Jones, Llangadfan', *Welsh History Review* Vol. 17, 1–4, 1994-95

Jenner, L.; *The Story of Halkyn Mountain* (taflen Sir y Fflint)

Jones, N. W.; 'Prehistoric Funerary & Ritual Sites: Denbighshire and East Conwy', CPAT Report No. 314.1, 2003

Jones, N. W.; 'Potential Cursus Monuments in Mid and North-east Wales, Geophysical Survey and Excavation 2008–09', CPAT Report No. 981, 2009

Jones, N. W.; 'Recent Investigations Along The Course Of The Whitford Dyke', Adroddiad CPAT, 2014

Jones, N. W.; 'Dating Offa's Dyke', CPAT Report, 2014

Jones, N. W., Silvester, R. J.; 'Strata Marcella Abbey, Welshpool, Powys, Survey and Recording 2011-12', CPAT Report No. 1139, 2012

Jones, O. G.; *Gweithiau Gethin*, 1884

Le Roux, Charles-Tanguy; *Carnac, Locmariaquer and Gavrinis*, 2001

Lewis, S.; *Guide to the menhirs and other Megaliths of Central Brittany*, 2009

Lloyd, J. D. K.; *St Nicholas Church Montgomery, Diocese of St Asaph Church in Wales* (Argraffiad 21), 2010

Lloyd, J. E.; *A History of Wales*, 1912

Lloyd, J. E., Jenkins, R. T., Llywelyn Davies, W.; *Y Bywgraffiadur Cymreig Hyd 1940*, 1953

Lloyd-Jones, J.; *Enwau Lleoedd Sir Gaernarfon*, 1928

Lord, P.; *Diwylliant Gweledol Cymru: Delweddu'r Genedl*, 2000

Lovegrove, E. W.; 'Rhyl Report', *Archaeologia Cambrensis*, Vol. XCIX, tt 325–327, 1947

Lynch, F.; *A Guide to Ancient and Historic Wales, Gwynedd* (Cadw), 1995

MacCarthy, F.; *William Morris A Life for Our Time*, 1994

MacCarthy, F.; *The Last Pre-Raphaelite, Edward Burne-Jones and the Victorian Imagination*, 2011

Mackail, J, W.; *The Life of William Morris*, 1899

Maerdy Rees, T., *Welsh Painters, Engravers, Sculptors (1527-1911)*, 1912

Manley, J.; *Archaeoleg yng Nghlwyd*, 1984

Manley, J.; 'Excavations at Caergwrle Castle, Clwyd, North Wales: 1988-90', *Medieval Archaeology*:38, tt83–133, 1994

McCormack, B., 'Prehistoric Sites of Montgomeryshire', *Monuments in the Landscape* Vol. XI, 2006

McGuinness, D.; 'Bullaun Stones and Early Medieval Pilgrimage at Glendalough', *Ordnance Survey Letters Wicklow and Carlow*, 2013

Misc; 'Gwyndy Cistfaen, Near Garthbeibio, Montgomeryshire', *Archaeologia Cambrensis* Vol. I, tt 245–6, 1884

Mohen, Jean-Pierre, *The Carnac alignments, Neolithic Temples*

Morris, P.; *Discover Llandaf Cathedral* (tywyslyfr), 2014

Nash-Williams, V. E.; *The Early Christian Monuments of Wales*, 1950

Noble, F.; *The ODA Book of Offa's Dyke Path*, 1969

Oliver, H. N.; *Llanllwchaiarn Church and Parish*, 2000

Owen, The Rev. E., 1895, *The Works of the Rev. Griffith Edwards (Gutyn Padarn) Late Vicar of Llangadfan Montgomeryshire. Parochial Histories of Llangadfan, Garthbeibio and Llanerfyl, Montgomeryshire.*

Owen, The Rev, E., 1886, *Old stone crosses of the Vale of Clwyd and neighbouring parishes, together with some account of the ancient manners and customs and legendary lore connected with the parishes.*

Parry Williams, V.; *Owen Gethin Jones Ei Fywyd a'i Feiau*, 2000

Peate, I. C.; *The Welsh House, A Study in Folk Culture*, 1940

Peate, I. C., *Clock and Watch Makers In Wales*, 1960

Pennant, T. (Gol. Rhys, J. M. A.), *Pennant's Tours in Wales* Vol. II, 1883

Pierce, G. O., Roberts, T.; *Ar Draws Gwlad 2*, 1999

Price, W. T. R., Davies, T. Alun.; *Samuel Roberts, Clock Maker*, 1985

RCAHM, *An Inventory of the Ancient Monuments in Caernarvonshire Volume II Central*, 1960,

Redknap, M.; *Y llychlynwyr yng Nghymru, Ymchwil Archaeolegol* (AOCC), 2000

Redknap, M.; *Discovered in Time, Treasures From Early Wales*, 2011

Rees, I. R.; *Crwydro Clawdd Offa*, 1979

Rees, S.; *A Guide to Ancient and Historic Wales, Dyfed* (Cadw), 1992

Rees, S, E.; 'In the footsteps of princes: conservation and national identity', *Archaeologia Cambrensis* Vol. 163, tt1–21, 2014

Renn, D., Avent, R.; *Flint Castle, Ewloe Castle* (Cadw), 2001

Rice, M.; *Rice's Architectural Primer*, 2009

Richards, M., *Enwau Tir a Gwlad* (gol. Bedwyr Lewis Jones), 1998

Richards, M.; *Through Welsh Border Country following Offa's Dyke Path*, 1976

Robert Owen Museum, *The Story of Robert Owen, A Souvenir Guide*

Roberts, J. E., Owen, R.; *The Story of Montgomeryshire* (EPC County Series), 1916

Rogers, B.; *The Man Who Went Into The West, The Life of R.S. Thomas*, 2007

Salter, M.; *The Old Parish Churches of Mid-Wales*, 1991

Silvester, R. J.; 'Pant Quarry, Halkyn, Flintshire. Assessment of the significance of the impact of the development on the Historic Landscape', CPAT Report No. 734, 2005

Silvester, R. J., 'Mold Castle and its Environs', CPAT Report No. 882, 2007

Smith, G. S., 'Excavations at Sycharth Castle 50 Years On', medievalparksgardensanddesignedlandscapes.wordpress. com, 2014

Smith, G. S.; 'Report on the Geophysical and Historical Survey at Sycharth Motte and Bailey', *Transactions of the Denbighshire Historical Society*, Vol. 52, 2003

Smith, G,S.; *Recent research on Parks, gardens and Designed Landscapes of Medieval North Wales and the Shropshire Marches*, PDF ar-lein, Ymddiriedolaeth Gerddi Hanesyddol Cymru

Stephenson, D.; 'A reconsideration of the siting, function and dating of Ewloe castle', *Archaeologia Cambrensis* 164, tt245–253, 2015

Seven Things to Look For in St. Deiniol's Church, (llyfryn Eglwys Sant Deiniol, Penarlâg)

St Margaret's Bodelwyddan, The Marble Church (1993, 1997, llyfryn o'r eglwys)

St Mary's Church Llanfair Caereinion Church Guide (pamffledyn o'r eglwys)

St Tudclud's Church / The Penmachno Stones (pamffledi Drysau Cysegredig)

Thomas, E, S., *The Pictorial History of Llandaf Cathedral*, 1973

Wakelin, P., Griffiths, R. A.; *Trysorau Cudd, Darganfod Treftadaeth Cymru*, 2008

Ward, F.; *Meifod Church, the church os St Tysilio & St Mary, a history and guide*, 2011

Watkins, A.; *The Old Straight Track*, 1925

Williams, C. J.; *Industry in Clwyd: An Illustrated History*, 1986

Williams, C., Thompson, N., *The Legacy of Robert Owen*, 2011

Williams, E. G.; *Is-Deitla'n Unig*, 2015

Williams, G. A.; *Dyddiau Olaf Owain Glyndŵr*, 2015

Williams, R.; 'Dolforwyn Castle and its Lords', *Archaeologia Cambrensis* tt 299–317, 1901

Cadw; *Gofalu am: Bryngaerau a Ffermdai*, 2008

'Llangollen Report', *Archaeologia Cambrensis* t 325, 1935,

'Newtown Report', *Archaeologia Cambrensis* tt 425–471, 1932

www.cpat.org.uk/beacon/index.htm

www.cpat.demon.co.uk/projects/longer/churches/montgom/16678.htm

www.cymdeithasenwaulleoeddcymru.org

www.lauraashley.com/blog/in-the-wardrobe/looking-back-jane-ashleys-iconic-photography/

www.lauraashley.com/blog/at-home/pretty-as-a-punk/

www.mathrafal.org/parishes/cibau.htm

www.megalithic.co.uk

www.sexpistolsofficial.com

http://stainedglass.llgc.org.uk

http://yba.llgc.org.uk/en/s-JONE-WIL-1726.html

Diolchiadau

Myrddin ap Dafydd, Gwasg Carreg Gwalch.
Nia Roberts, Gwasg Carreg Gwalch.
Dr Angharad Price (y catalydd cychwynnol)
Diolch arbenig i Nigel Jones (CPAT) am ei holl
gymorth gydag adroddiadau a lluniau.

Amgueddfa Powysland, Eva Bredsdorff
Alun (Al Pents) Jones
Ancient Arts, Dave a Sue Chapman
Archifdy Gwynedd
Beaver (Cliff Hughes)
Ken Brassil
Hugh Brodie
Cadw: Ffion Reynolds, Erin Hillforts, Adele Thackray
John Cae'r Gôf, Cwm Twrch, Llangadfan
Caffi Cwpan Pinc, Llangadfan (Louise)
Catrin Pentrebach
David Dawson
Yr Athro Nancy Edwards, Prifysgol Bangor.
Pat Egerton (Eglwys Llanllwchaearn)
Dyfed Elis-Gruffydd
Dafydd Elis-Thomas
Annie Ellis a'r teulu, Pen Coed, Cwm Twrch, Llangadfan
Meirion Ginsberg
Yr Athro Madeleine Gray, Athro Hanes Eglwysig, Prifysgol De
Cymru Caerleon
Ken Gruffydd (Cymdeithas Ffynhonnau Cymru)
J. Elwyn Hughes
Sara Huws, Amgueddfa Genedlaethol Cymru
Irish Archaeology Field School (IAFS) @IrishArchaeo
Olwen James (Llanerfyl)
Siân James (Gardden)
Shani Rhys James
Gary John (Felinheli)
Bill a Mary Jones.

Emrys 'Peliot' Jones
Dafydd Lewis (Pentre Bach)
Andrew Logan
Frances Lynch
Criw Meillionydd: Raimund Karl, Kate Waddington, Katharina Moeller
Christine Mills
Eleri Mills
Richard Mills
Colm Moriarty @irarchaeology
Keith Morris (Caernarfon)
Nia Wyn Morris (Rheithor Llanllwchaearn, Y Drenewydd ac Aberhafesp)
Dr George Nash
Jeb Loy Nichols
Terry O'Hagan
Yr Athro Aidan O' Sullivan, Coleg Prifysgol Dulyn.
Iwan Gwyn Parry
Nia Powell, Prifysgol Bangor.
Save Old Oswestry, Trydar: @OldOswestryFort
Peter Telfer.
Ymddiriedolaeth Archaeolegol Clwyd-Powys: Jenny Britnell, Ian Grant, Nigel Jones, Wendy Owen.
Ymddiriedolaeth Archaeolegol Gwynedd: Andrew Davidson, Anita Daimond, David Hopewell, Jane Kenney, Emily La Trobe-Bateman, Spencer Gavin Smith.
Ifor Williams (Llanfaglan)